KEVIN SHERIDAN

CONSTRUINDO UMA CULTURA MAGNÉTICA

COMO ATRAIR E MANTER **PROFISSIONAIS TALENTOSOS** PARA CRIAR UMA **FORÇA DE TRABALHO ENGAJADA E PRODUTIVA**

DVS EDITORA

www.dvseditora.com.br
São Paulo, 2013

CONSTRUINDO UMA **CULTURA MAGNÉTICA**

Como atrair e manter profissionais talentosos para criar uma força de trabalho engajada e produtiva

BUILDING A MAGNETIC CULTURE
How to Attract an Retain Top Talent to Create an Engaged, Productive Workforce

Tradução: Sieben Gruppe
Diagramação: Konsept Design e Projetos

Dados Internacionais de Catalogação na Publicação (CIP)
(Câmara Brasileira do Livro, SP, Brasil)

Sheridan, Kevin
Construindo uma cultura magnética : como atrair e manter profissionais telentosos para criar uma força de trabalho engajada e produtiva / Kevin Sheridan. -- São Paulo : DVS Editora, 2013.

Título original: Building a magnetic culture.

1. Administração de pessoal 2. Comportamento organizacional 3. Motivação 4. Pessoal - Recrutamento 5. Pessoal - Seleção e colocação I. Título.

13-09031 CDD-658.3

Índices para catálogo sistemático:

1. Gestão de pessoas : Administração de empresas 658.3

KEVIN SHERIDAN

CONSTRUINDO UMA CULTURA MAGNÉTICA

COMO ATRAIR E MANTER PROFISSIONAIS TALENTOSOS PARA CRIAR UMA FORÇA DE TRABALHO ENGAJADA E PRODUTIVA

www.dvseditora.com.br
São Paulo, 2013

Meu primeiro agradecimento e reconhecimento vão para a senhorita Amelia Forczak, uma das estrelas da HR Solutions e uma das funcionárias mais altamente engajadas que conheço; sem sua criatividade e seu empenho infindável em pesquisas, *Criando uma Cultura Magnética* jamais teria sido publicado. Aos meus pais, e, especialmente ao meu pai, que me inspirou a ser apaixonado pelo que eu faço e incutiu em mim uma ética no trabalho completamente blindada e a perseverança para nunca desistir facilmente. Um profundo agradecimento à minha esposa e filhas por seu amor e apoio ao longo dos altos e baixos do último ano. Finalmente, sinto enorme gratidão pelos muitos funcionários e clientes da HR Solutions que escolheram criar, contribuir para e manter-se em nossa **cultura magnética.**

Sumário

Introdução

Para se tornar o melhor nos negócios é imprescindível empregar o melhor pessoal! Um time extraordinário de funcionários dedicados é a verdadeira base para o sucesso supremo de uma empresa. Embora a maioria dos gestores não discorde deste ponto de vista, uma questão especial é mais difícil de ser conciliada: **como** os empregadores podem construir uma equipe que se mostre pronta e ansiosa por levar a organização ao seu próximo patamar?

As respostas estão neste livro.

Depois de mais de vinte anos de consultoria em **gestão de talentos** conduzindo centenas de milhares de grupos de discussão de colaboradores e um vasto conjunto de organizações, e analisando os resultados de milhões de avaliações de funcionários, posso dizer, honestamente, que os melhores empregadores têm **muito** em comum. Independentemente de possuírem 25 empregados ou 150 mil funcionários, os elementos básicos para se atrair, reter e engajar com sucesso os colaboradores são muito mais similares em toda sua extensão do que se possa imaginar. Enquanto as estratégias específicas da gestão de talentos variam nas diferentes organizações, os melhores empregadores alcançam um grau mais elevado de êxito por sua habilidade de construir uma **cultura magnética**.

Uma **cultura magnética** (CM) **atrai** profissionais talentosos para o local de trabalho, os **envolve** e **sustenta** um ambiente no qual eles têm **mais probabilidade** de permanecer. Tal cultura é marcada por

funcionários engajados que compartilham o forte desejo de fazer parte do valor criado pela organização.

Embora os colaboradores sejam infinitamente únicos em suas preferências e metas pessoais, existem semelhanças impressionantes no que se refere ao local de trabalho. Estas estão intimamente ligadas ao engajamento dos funcionários e contribuem para a construção de uma CM. Tais similaridades se mostram verdadeiras em vários aspectos incluindo idade, gênero, etnia, grau educacional e estabilidade nas organizações. Similitudes também se manifestam em empresas de todos os portes, em uma ampla variedade de setores e situadas em todo o planeta. Considerando essa multiplicidade de empregadores e empregados, é fácil afirmar que uma única estratégia de gestão de talentos não funcionaria para todos. Em contrapartida, uma CM definitivamente **funciona** para todos.

Este livro esclarece porque algumas empresas se tornam líderes, ou seja, as melhores no seu setor, enquanto outras lutam para não afundar. O sucesso não acontece por acaso; é alcançado por meio de relações básicas de causa e efeito. Existem práticas relacionadas ao local de trabalho que são poderosos imãs culturais, enquanto outros agem como desmagnetizadores nocivos. O primeiro passo para se efetuar mudanças positivas em sua organização é entender de que maneira esses elementos entram no jogo. Toda ação tomada pelos empregadores gera um impacto sobre a percepção dos funcionários quanto ao valor apresentado pela companhia. Para atrair, manter e engajar talentos *top* (do topo) você precisa oferecer mais valor aos colaboradores que outras empresas. As inúmeras maneiras que um empregador pode utilizar para oferecer valor são a matéria-prima para a criação de uma **cultura verdadeiramente magnética**.

Este livro está repleto de boas práticas que se provaram úteis na intensificação do engajamento profissional e que conduziram a melhores resultados comerciais. Por meio de estudos de caso de companhias líderes e entrevistas exclusivas com especialistas que são verdadeiras autoridades em seus setores, os leitores aprenderão tudo o que há de melhor sobre o assunto. Ademais, irão tornar-se íntimos de um novo conceito revolucionário que vem alterando a abordagem tradicional, e, acredito, antiquada, do engajamento de funcionários. Esse conceito, em si, tem sido o divisor de águas para muitas organizações quanto à criação de um ambiente no qual os colaboradores **contribuem ativamente** para o magnetismo cultural. Como um grande desafio não se concentra apenas em criar uma CM, mas também em mantê-la, esse novo conceito facilita a sustentação de um ambiente magnético pelos funcionários. As ideias contidas neste livro propiciam o *insight* (lampejo) de que você precisa para ir adiante e alcançar notáveis resultados financeiros para sua empresa. Nos capítulos a seguir, você irá adquirir um entendimento mais profundo sobre como exatamente poderá atrair, manter e engajar profissionais talentosos e montar um plano sólido para tornar sua organização a melhor do seu setor. A base para o sucesso completo é a criação de um ambiente no qual os funcionários comprometidos prosperem. É isso que irá ajudá-lo a construir sua própria **cultura magnética** (CM).

Capítulo 1

O que é uma Cultura Magnética (CM) e quais são os principais benefícios do engajamento dos funcionários?

"Você pode tomar minha empresa, incendiar meu edifício, mas deixe-me meu pessoal e eu construirei meu negócio novamente."

- Henry Ford

Funcionários engajados dispõem de compromisso intelectual e vínculo afetivo (por exemplo, orgulho, paixão, entusiasmo) para com seus empregadores, um ímpeto em empregar iniciativa e criatividade extra, bem como disposição para aceitar alguma responsabilidade pelo seu próprio nível de engajamento, tudo direcionado à maximização de resultados para os clientes, a organização e eles próprios. Colaboradores engajados recomendam a empresa em que trabalham como um empregador favorito e promovem os produtos e/ou serviços da organização. O **engajamento profissional** é importante. Funcionários comprometidos apresentam probabilidade[1]:

- dez vezes superior de sentir que o trabalho benfeito é reconhecido;
- dez vezes maior de sentir que a alta administração se preocupa com os empregados;

- oito vezes mais elevada de sentir que seu supervisor encoraja seu crescimento;
- sete vezes maior de sentir que recebem *feedback* (realimentação) sobre seu desempenho com regularidade;
- quatro vezes superior de estar satisfeitos com o próprio trabalho;
- quatro vezes inferior de pensar em deixar a empresa.

Colaboradores engajados também estão conectados a clientes satisfeitos pelo coeficiente de correlação de Pearson **r** = +0,85, o que significa que ambas as variáveis estão fortemente relacionadas.[2] O **coeficiente de correlação de Pearson** é um índice matemático utilizado para descrever a direção e magnitude de uma relação entre dois itens ou variáveis. Uma correlação pode variar entre -1 e 1, sendo -1 **uma correlação negativa perfeita** (toda vez que um item aumenta o outro diminui, e vice-versa) e 1 sendo uma **correlação positiva perfeita** (ambos os itens aumentam e diminuem juntos). Um **coeficiente** 0 representa uma relação completamente aleatória. A maioria dos itens mensurados com esta escala corresponde a um resultado entre -1 e 1, e raramente é igual a 0. É importante notar que essa correlação não implica obrigatoriamente na **causalidade**. Ao contrário, demonstra a relação entre duas variáveis. Em essência, quanto mais funcionários engajados existir no seu time, mais clientes satisfeitos você terá também. Quando o assunto é **engajamento de colaboradores**, existem três tipos de funcionários no local de trabalho: **ativamente engajado**, **ambivalente** e **ativamente desengajado**. A compreensão desses níveis de engajamento e da maneira como afetam um ao outro é essencial para o gerenciamento de uma equipe comprometida e produtiva.

Funcionários ativamente engajados

- Superam e vão além, frequentemente efetuando mais do que o que lhes é solicitado.
- São promotores em rede: orgulhosamente representam e promovem a marca da empresa.

- São apaixonados pela missão, visão e pelos valores da organização.
- Têm consciência e comprometimento pessoal com seu nível de engajamento.
- São motivados e movidos pela excelência em seu desempenho.
- São receptivos e apoiam novos colaboradores.
- Contribuem com novas ideias, geralmente, para melhorar a empresa.
- Adaptam-se a e facilitam as mudanças.
- São otimistas com relação ao próprio futuro na companhia.

Funcionários ambivalentes

- Não são apropriados para um esforço extra; realizam o que lhes é solicitado e não se inclinam a fazer muito mais que isso.
- Raramente se oferecem como voluntários - se o fazem - para atribuições extras ou para assumir a liderança.
- Demonstram pouca energia e desempenho inexpressivo nas tarefas.
- Focam, dia após dia, apenas em "sobreviver".
- Podem frequentemente sentir-se negligenciados ou insignificantes.
- Vão para o trabalho principalmente pelo dia do pagamento.
- Apresentam grande probabilidade de demonstrar registro de frequência irregular e ficam atentos ao horário de saída.
- Não demonstram entusiasmo particular a respeito da própria situação no trabalho.

Funcionários ativamente desengajados

- Demonstram atitudes negativas com relação ao empregador e a suas tarefas profissionais.
- Estão insatisfeitos; às vezes demonstram abertamente sua aversão ao trabalho.
- Focam-se mais nos problemas da organização.

- Podem causar mais prejuízo que benefícios com seu comportamento e suas ações.
- Não se empenham pessoalmente no sucesso na empresa.
- Difamam consistentemente os supervisores por trás da gerência, tanto dentro da empresa quanto para seus amigos e familiares.
- Procuram compartilhar ativamente seus pontos de vista negativos com funcionários novos e ambivalentes.

A Figura 1.1 sintetiza a participação dos níveis de engajamento no ambiente de trabalho.

Figura 1.1 - Níveis de engajamento profissional no ambiente de trabalho.

Fonte: HR Solutions Normative Database, https://actionpro.hrsoluntioninc.com (itens normativos; acessado em 25-05-2011).

A propagação dos níveis de engajamento

As pessoas, em geral, são influenciadas por aqueles que as rodeiam, e no local de trabalho isso não é diferente. Apesar de muitos pensarem que a pressão social sofrida para se adotar os pontos de vista dos outros termina na adolescência, essa, de fato, não é a realidade. Minha avó costumava dizer que um dos grandes benefícios de envelhecer é que **"sofre-se muito menos pressão por parte dos colegas"**. Isso sempre me fez rir muito, mas a observação dela é uma questão importante que se transfere para a área de trabalho. Embora os gestores não possam controlar totalmente a distribuição dos **níveis de engajamento** na empresa, eles podem tomar decisões para aumentar o comprometimento dos colaboradores.

Funcionários **ambivalentes** são facilmente influenciáveis por seus colegas de trabalho, então, aproximá-los de colaboradores aplicados para a realização de projetos ou tarefas em grupo é uma ótima tática para amplificar o engajamento. Funcionários dedicados, em geral, apreciam ser líderes e mentores, e serão um excelente exemplo para que os ambivalentes assumam responsabilidade pelo seu próprio grau de engajamento.

Os **ativamente desengajados** podem contagiar outros colaboradores, em especial, os ambivalentes. Algumas empresas, como a Gallup, os consideram "vampiros" que sugam a vida dos que estão à sua volta. Quando os ambivalentes fazem amizade com os desengajados, que são infecciosamente negativos com respeito à posição que ocupam e à empresa, tal negatividade se alastra como câncer. E como a angústia adora companhia, os desengajados procuram arrastar outros funcionários para o seu mar de indisposição. A direção deve atentar para o fato de que esses "funcionários vampiros" podem rapidamente sugar a positividade dos colegas se tiverem chance.

Casey Stengel, membro do Hall da Fama do Beisebol e antigo gestor do New York Yankees e do New York Mets, tem uma citação que se encaixa perfeitamente a essa situação: **"O segredo da gestão de sucesso é manter os cinco caras que odeiam você**

bem longe dos quatro que ainda não têm opinião formada a seu respeito." Parece uma estratégia engraçada, mas ela honestamente funciona em se tratando de engajamento. A administração deve tentar limitar a interação entre funcionários desengajados e ambivalentes, bem como daqueles com os recém-contratados; precisa encorajar todos os funcionários a conhecer os que se empenham. Os profissionais comprometidos não são afetados pela negatividade dos colegas, então, é uma boa ideia usá-los como mentores.

Os funcionários negligentes devem ser considerados principais candidatos para transição de saída da empresa. Milhões de gestores perdem seu precioso tempo treinando esses incendiários do engajamento, na esperança de alguma melhora, em vão. Arriscando-se a fornecer a esses indivíduos um novo treinamento ou outra análise crítica sobre seu comportamento, os gestores mostram-se falsamente otimistas de que alguma melhoria significativa, de fato, irá ocorrer. Na verdade, essas ações os desviam do investimento de um valioso tempo com seus principais jogadores. É sempre melhor limitar o prejuízo e dedicar mais tempo com quem realmente merece *coaching* (orientação), *mentoring* e desenvolvimento, que negociar com os completamente desengajados.

Às vezes é bem melhor simplesmente cortar o mal pela raiz para proteger o ambiente de trabalho da negatividade. Não espere que os funcionários desengajados peçam demissão; pesquisas mostram que a probabilidade mais elevada é que eles continuem na empresa, apesar de produzirem os piores resultados para a sua organização.[3]

A gestão efetiva dos limites do comprometimento é um item de suma importância para a construção de uma CM. A identificação das maneiras com que os diferentes níveis de engajamento afetam uns aos outros é crucial para se manter no caminho do sucesso empresarial. A criação e manutenção de um ambiente de trabalho no qual o **engajamento prospera** e o **desengajamento evapora** deve ser sempre uma das prioridades da administração.

Figura I.2 Vínculo entre avaliações de desempenho e engajamento.

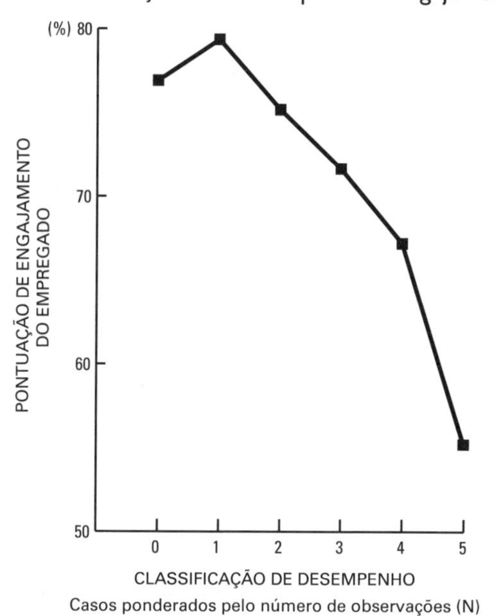

Classificação de desempenho	Número de observações (N)	% Favorável Engloba todas as dimensões da pesquisa
0 NA (não aplicável)	6.772	76,92
1 (melhor)	13.718	79,37
2	44.100	75,19
3	49.757	71,66
4	2.965	67,21
5 (pior)	556	55,22
Total	117.868	73,99

Desempenho

Embora acredite-se que a qualidade dos serviços produzidos por funcionários engajados seja superior à dos ambivalentes e desengajados, preferi observar isso em números para entender exatamente de que maneira o engajamento impacta o resultado final e provar se suas iniciativas geram **retorno sobre investimento** (ROI). Particularmente, sou um homem de números.

Ao correlacionarmos 117.868 pontos computados (ver Figura 1.2) nas pesquisas de Engajamento de Colaboradores individuais de nossos clientes às suas correspondentes avaliações de desempenho anuais descobrimos uma sólida relação entre os níveis de engajamento e o desempenho. Quase 80% dos funcionários engajados receberam a melhor classificação de desempenho em sua avaliação anual, enquanto aproximadamente 55% dos desengajados obtiveram a pior classificação. Esses dados dizem muito sobre o que o engajamento significa para uma companhia. Durante 80% do tempo, colaboradores empenhados alcançam ou superam os mais altos padrões determinados, enquanto em 55% das vezes funcionários desengajados despencam às mais baixas classificações oferecidas. Para mim, um desempenho tão ínfimo demonstra que um trabalhador nem ao menos preenche as mínimas expectativas de sua função e deve ser submetido a estágio probatório ou demissão.

Em resumo, a maioria desses **funcionários engajados** é composta por grandes talentos, enquanto a maior parte dos desengajados poderia, e provavelmente deveria, **ser desligada da empresa**. Para tornar sua organização tão bem-sucedida quanto possível você deve procurar contratar mais profissionais de **forte comprometimento**. Esse estudo pode servir como evidente estímulo para que as empresas foquem no engajamento como uma maneira de elevar seu desempenho. À medida que se engajam e se comprometem cada vez mais com seu trabalho, esses profissionais vão se aproximando da excelência.

Engajamento e clientes habituais

Em média, o custo por um novo cliente é cinco vezes mais elevado que a manutenção de um cliente habitual.[4] Os clientes retornam quando estão satisfeitos com a experiência que tiveram e com a qualidade do serviço ou produto que receberam. Portanto, a interação entre colaboradores e clientes representa papel crucial na decisão de retorno do consumidor. Na verdade, o serviço ao cliente pode ser mais importante para as pessoas que o próprio produto ou a conveniência de efetuar negócios com a empresa.

Por exemplo, suponhamos que você more perto de duas lavanderias a seco cuja qualidade dos serviços é a mesma. Uma delas fica logo após a esquina da rua da sua casa, mas nem todos os funcionários que trabalham lá são amigáveis ou cordiais. Eles fazem você se sentir um fardo na vida deles e não se apressam em atendê-lo porque não ligam em fazê-lo esperar. A outra lavanderia se localiza a um quilômetro de sua casa, mas seus funcionários são muito simpáticos, se lembram do seu nome e se mostram verdadeiramente felizes em revê-lo. Além disso, lhe fornecem serviço rápido, pois respeitam o seu tempo. Qual dessas lavanderias você frequentaria?

Imagine como a situação mudaria se ambas as lavanderias dispusessem de profissionais amigáveis, mas uma delas oferecesse qualidade superior em seus serviços porque os funcionários se preocupam em realizar um bom trabalho. Aposto que você escolheria a lavanderia cuja qualidade dos serviços é mais elevada, mesmo que ela se situasse em um local menos conveniente.

Clientes encaram centenas de decisões como essa todos os dias. Uma pesquisa mostrou que 70% das experiências de compra são baseadas na maneira como os clientes sentem que são tratados.[5] Além disso, cerca de 90% dos clientes insatisfeitos não irão comprar novamente da empresa que os desapontou.[6] Em um mundo com tantas opções para qualquer serviço ou produto, colaboradores empenhados irão dotar a empresa de um diferencial, o que fornecerá a ela uma vantagem na competição.

As dimensões do poder e como se tornar uma empresa líder (*best-in-class*)

Nossa companhia considera como seus clientes líderes aqueles que, entre todos os concorrentes e em todos os itens avaliados, alcançam uma pontuação favorável – entre os primeiros 10% – nas pesquisas realizadas com seus funcionários. Conquistar tal pontuação não é fácil; temos milhões de respostas vindas de milhares de empresas em nossa base de dados padronizada, então a competição é acirrada. Obter o *status* de líder significa que os colaboradores colocaram a empresa entre os primeiros 10%. Esses clientes detêm o quadro funcional mais engajado de todos, mas nós queríamos ver o que mais eles tinham em comum.

Analisamos os questionários de pesquisa de nossos clientes líderes por **dimensões**, os tópicos gerais que agrupam os itens da pesquisa. As dimensões de nossa pesquisa são as seguintes:

Dimensão 1: Satisfação geral com o emprego
Dimensão 2: Satisfação com o trabalho
Dimensão 3: Desempenho/Cooperação do colega de trabalho
Dimensão 4: Satisfação quanto ao pagamento
Dimensão 5: Satisfação quanto aos benefícios
Dimensão 6: Promoções/Progressão de carreira
Dimensão 7: Considerações sobre a supervisão
Dimensão 8: Participação e promoção de trabalho em equipe pela supervisão
Dimensão 9: Instruções e orientação da supervisão
Dimensão 10: Comunicação
Dimensão 11: Recursos humanos/Políticas pessoais
Dimensão 12: Preocupação para com os funcionários
Dimensão 13: Produtividade/Eficiência
Dimensão 14: Treinamento e desenvolvimento
Dimensão 15: Condições físicas do local de trabalho
Dimensão 16: Serviço ao cliente (cuidados)
Dimensão 17: Estratégia e missão
Dimensão 18: Estresse no trabalho
Dimensão 19: Importância para a satisfação no trabalho e a produtividade do funcionário

Dentre todas essas dimensões, encontramos três similaridades flagrantes entre nossos clientes líderes que estavam totalmente ausentes entre os demais. Todos os nossos clientes líderes apresentaram pontuação acima da média nas mesmas três dimensões:

Dimensão 10: Comunicação
Dimensão 16: Serviço ao cliente (cuidados)
Dimensão 17: Estratégia e missão

Nenhum dos clientes da HR Solutions mostrou resultados abaixo do padrão ou em déficit nesses três componentes-chave de uma CM. Não é por acaso que tantas organizações *top* mundiais têm exatamente as mesmas características em comum. Isso mostra que esses três ingredientes são parte crucial da receita para uma CM engajada e produtiva.

Outra qualidade específica descoberta por nossa pesquisa a respeito de nossos clientes líderes é que eles podem cobrar **10% mais caro** que outras empresas por seus produtos/serviços (sem impactar negativamente sua receita) e, em geral, alcançar o dobro de lucro.

Desengajamento = Péssimas Relações Públicas

A mídia social amplificou a importância do engajamento. Nunca foi tão fácil quanto hoje em dia fazer-se ouvir por centenas ou milhares – se não milhões – de pessoas, em poucos segundos, quando se está descontente com determinada empresa. Esse princípio-geral é denominado **"efeito multiplicador"**. Quando **um cliente** está satisfeito ele compartilha seu contentamento, em média, com **cinco pessoas**. Então, cerca de cinco outras tomam conhecimento do elogio. Em contrapartida, um consumidor aborrecido irá contar sobre sua insatisfação a **dez potenciais clientes** que, por sua vez, compartilharão isso com outros **cinco indivíduos**. Desse modo, outras **sessenta pessoas** finalmente tomarão ciência da reclamação. Em geral, más notícias correm muito mais rápido e para mais longe que as boas.

Entretanto, quando existe o envolvimento da mídia social, a mensagem se espalha exponencialmente. Pense em quão fácil é para você atualizar seu *status* no Facebook com algumas palavras sobre o novo restaurante que acabou de experimentar em sua cidade. Qualquer coisa que imaginar sobre o novo negócio torna-se uma crítica instantânea para todos os seus amigos. Se disser que curtiu o lugar, eles podem querer visitá-lo. Se comentar que a comida era ruim e o atendimento rude, provavelmente seus amigos irão evitar o restaurante, caso se lembrem de sua observação. Em virtude da ampla potencialidade das mídias sociais, as pessoas estão considerando, cada vez mais, as críticas dos clientes como os maiores influenciadores para as compras dos consumidores. Para uma organização, isso significa que seus funcionários devem fornecer um excelente serviço aos clientes com o intuito de facilitar a construção de um canal para novos consumidores.

United Airlines quebra violões

Talvez você já tenha assistido ao vídeo *United breaks guitars* (em tradução literal "United quebra guitarras) no YouTube. Esse clipe, que já foi acessado mais de 11 milhões de vezes, relata a experiência real de David Carroll, que teve seu violão quebrado por funcionários negligentes durante uma viagem que fez pela United Airlines, em 2008, e a subsequente reação da empresa. A música se tornou viral imediatamente após ser lançada, em 2009, e tornou-se um caso de relações públicas humilhante para a empresa.

Carroll alegou ter testemunhado, junto a outros passageiros a bordo do mesmo voo, a equipe responsável pelo transporte e acomodação de bagagens jogando violões na pista de decolagem. Como era de se esperar, ao chegar ao seu destino, Carroll percebeu que seu violão de US$ 3.500 de fato tivera o braço quebrado. Em sua música ele "alertou três funcionárias que mostraram total indiferença". Carroll apresentou uma ação judicial à companhia aérea, mas a indenização lhe foi negada porque ele não fez a reclamação no período de 24 h corridas após o incidente. Foi nesse momento que Carroll decidiu utilizar o efeito multiplicador para corrigir o problema. Ele conseguiu "dar o troco à United", com sucesso, pela maneira com que ele e seus pertences foram anteriormente tratados pela empresa. O videoclipe atraiu tanto interesse que a **reputação geral** da United foi **severamente arruinada** – tudo por causa de alguns funcionários desengajados.

Se os trabalhadores responsáveis pelo manuseio da bagagem de Carroll estivessem empenhados em sua função teriam sido muito mais cuidadosos. Eles também estariam alinhados à missão e à responsabilidade corporativa da United, que declara: **"Entendemos, enquanto organização, que as ações que realizamos e as decisões que tomamos são importantes."** O pessoal responsável pela bagagem teria considerado de que modo o manuseio de um violão pode ser importante para o cliente e para a companhia e teria sido mais cauteloso. As funcionárias notificadas sobre a situação teriam percebido que sua resposta a Carroll também era fundamental e teriam feito mais para retificar a situação e fornecer um serviço mais adequado ao cliente. Esse é um exemplo perfeito de como as pequenas ações dos colaboradores podem alterar para sempre o caminho de uma organização.

A United Arilines pediu desculpas a Carroll e disse a ele que gostaria de usar seu videoclipe para mostrar aos funcionários de que modo não devem manusear a bagagem dos clientes. Esperamos que a empresa também esteja concentrando suas iniciativas de treinamento no quesito engajamento.

Os perigos do desengajamento: um estudo de caso pessoal

Às vezes aprendemos com nossos próprios erros. Essa pode ser a maneira mais dolorosa de se aprender algo, mas ela certamente nos convence, e nunca é esquecida. Eu aprendi uma difícil lição sobre Engajamento e gostaria de partilhá-la como um miniestudo de caso na esperança de ajudar outros a evitar as mesmas repercussões negativas do desengajamento de profissionais.

Eu gosto de dar o benefício da dúvida às pessoas quando o assunto é gestão de talentos. Acredito que a maioria dos indivíduos tem boa índole por natureza, e que podemos confiar que os outros irão agir com ética e dentro da lei. Eu também acredito firmemente que as pessoas podem melhorar por meio de *coaching* e *mentoring*, dependendo do caso. No entanto, aprendi que existem situações em que o melhor que um administrador tem a fazer é parar e ouvir o que seu coração tem a dizer quando algo parece estar fora dos trilhos.

A contadora

Nossa empresa empregou a mesma profissional em contabilidade por sete anos. Quando a contratei eu sabia que ela vinha de uma família problemática e, de acordo com relatos, alguns de seus membros estavam na prisão ou sofriam com o vício em drogas. Ela, entretanto, estava tentando reconstruir sua vida de maneira saudável e produtiva. Eu creio intensamente no **sonho norte-americano** de prover oportunidades para todos. Não há dúvidas de que minha experiência enquanto minoria jovem branca crescendo em uma reserva nativa norte-americana aumentou minha percepção quanto à restrição de acesso e a oportunidades; isso instilou em mim um apreço natural pela diversidade e um forte desejo em ajudar a corrigir desigualdades e oferecer perspectivas. Então, quis ajudar essa contadora dando-lhe uma chance, e eu estava torcendo para que ela tivesse êxito. Em essência, deixei que meus sentimentos impedissem uma real avaliação sobre ela.

Como funcionária, no início, ela era comum. Havia áreas nas quais ela certamente poderia ter melhorado, mas eu fiz vista grossa sobre alguns pontos críticos e problemas de desempenho.

Com o passar do tempo, seu trabalho ficava cada vez pior. De modo preocupante, ela começou a encobrir seus erros e dificuldades de desempenho adulterando resultados e jogando a culpa em outras pessoas. Alguns colaboradores perceberam seu comportamento e começaram a questionar por que alguém como ela deveria fazer parte de nossa equipe. Em mais de uma ocasião, um funcionário ou gestor sugeriu que ela fosse desligada da empresa.

Por fim, um colaborador a flagrou preparando um *e-mail* no qual ela se livrava de uma tarefa que esquecera de realizar. Eu a confrontei diretamente sobre a mentira e perguntei por que não deveria demiti-la. Ela se derramou em lágrimas, desculpou-se com profusão e explicou que "nunca" mentira daquela maneira. Implorou para que eu entendesse que aquele fora um erro isolado que jamais tornaria a ocorrer. Como a tal mentira envolvia algo relativamente pequeno, decidi dar-lhe uma segunda chance. Se pudesse voltar no tempo, eu a teria demitido naquele exato instante. Uma mentira é uma mentira. Pessoas que contam uma estão fadadas a contar mais.

Nossa contadora gerenciava a folha de pagamentos de toda a equipe, bem como as contas a pagar e a receber. Ela me fornecia os extratos impressos de todas as contas bancárias e dos cartões de crédito da empresa, comprovantes de depósito de pagamentos e relatórios do nosso *software* de contabilidade, nos quais eu investia um bom tempo todo mês examinando e verificando a exatidão. Como fui auditor no passado, depois de revisar os grossos calhamaços de papéis que ela passava para mim regularmente, tudo indicava que ela tinha as finanças da empresa sob controle e que não havia motivos para eu me preocupar. Acreditei que ela estava realizando seu trabalho, em parte pelos repetidos conselhos sobre melhores práticas que dei a inúmeros executivos – a respeito da importância de confiar nos funcionários, dar-lhes liberdade para progredir na carreira e deixá-los fazer o que fazem melhor –, em resumo, DNA arquitetônico comprovado para a construção de uma forte cultura magnética.

A aquisição

No final de 2010 fomos considerados para aquisição por uma empresa global de consultoria em auditoria/tributação e gerenciamento de capital humano que poderia se beneficiar de nossa base de dados e de nosso *software* de planejamento de ações, enquanto a

HR Solutions seria favorecida pelo ganho de visibilidade mundial. Aquela parecia uma ótima jogada para ambas as organizações e eu estava extremamente entusiasmado com a oportunidade. Meu nervosismo tinha dois motivos principais.

Primeiro, nossa empresa iria se tornar "global", algo que a HR Solutions não seria capaz de fazer sozinha.

Segundo, asseguraríamos empregos realmente muito bons para trinta de nossos 37 funcionários, uma verdadeira proeza num cenário de aquisição.

Começamos a trabalhar duro para finalizar o acordo até o final do ano, a fim de evitar um grande aumento no imposto sobre ganhos de capital que entraria para as despesas a partir de 1º de janeiro de 2011. Nossa contadora desempenhava papel-chave na fusão, especialmente no processo de planejamento financeiro, momento em que seu desempenho passou a cair. Ela achava que seria dispensada de sua função quando a aquisição fosse concluída, mas aquele não era o caso. Uma de minhas prioridades quanto à incorporação das empresas foi a manutenção da estabilidade de emprego dos funcionários durante a fusão e mesmo após anos de sua ocorrência. Não seria difícil manter uma contadora na companhia que planejava nos adquirir; certamente seria muito mais fácil que garantir outras posições ocupadas por profissionais que eu intencionava conservar.

No entanto, em vez de provar-se uma colaboradora valiosa que a outra empresa teria interesse em manter em seu quadro funcional, ela passou a atrasar a conclusão de tarefas e o planejamento da aquisição. Ela se ausentou diversas vezes por doença, gozou dias de férias não autorizados e perdeu prazos importantes – todos sinais de um funcionário desengajado. Reclamou de problemas de saúde que estavam se agravando pelo serviço e estresse extras relativos à parceria que se aproximava. Eu a coloquei sob forte observação e considerei demiti-la, mas senti que precisávamos dela para completar as solicitações do planejamento financeiro. Além disso, imaginei que o "problema" chegaria ao fim naturalmente após a aquisição. Eu queria ser solidário para com seus assuntos pessoais, mas ela parecia estar fazendo tudo ao seu alcance para retardar a fusão. Ela disse mais de uma vez: "O que eu ganho com isso (a aquisição)? Qual é minha motivação?"

Conseguimos completar o planejamento do processo pouquíssimos dias antes do final do ano e o acordo foi fechado. Programamos anunciar as boas novas a toda nossa equipe no dia 4 de janeiro de 2011.

Em 3 de janeiro de 2011, a empresa com a qual estávamos em processo de consolidação recebeu uma carta anônima que levou nosso acordo a um gélido embargo. A carta trazia acusações seriíssimas e falsas que depunham contra nossa integridade e ética organizacionais, sob uma imensa variedade de reclamações fabricadas. A equipe de executivos responsável pela negociação da empresa adquirente trouxe-me a carta de imediato. Fiquei arrasado. Após dezesseis anos de trabalho duro construindo uma boa marca e companhia, às vésperas de concretizar sua venda, vejo tudo esfacelado por uma carta anônima fraudulenta.

Apesar de as declarações contidas na carta serem totalmente falsas seu autor demonstrou tanto conhecimento sobre nossos negócios e a respeito da aquisição que ela somente poderia ter sido escrita por um de nossos funcionários. Questionei-me como seria possível alguém do meu *staff* (quadro de funcionários) fazer algo tão vil, em especial depois de eu ter negociado arduamente sua estabilidade de emprego no acordo; sobretudo, para mim pessoas vêm antes de dinheiro. A situação se tornou ainda mais problemática e confusa pelo fato de poucos colaboradores estarem cientes da fusão. Essas informações eram concedidas apenas à liderança sênior e à contabilidade; quatro pessoas, incluindo a mim. Eu confiava em todos da minha equipe de liderança, então, não tinha a mínima ideia de quem poderia ter escrito a carta.

Afirmei que todas aquelas alegações eram falsas e, para ser franco, ridículas, e me ofereci para indenizar totalmente a empresa adquirente por toda e qualquer reclamação ilegítima ou ameaças descritas naquela carta. Mesmo assim, sem uma explicação ou a confissão por parte de seu autor, nosso parceiro em potencial decidiu voltar atrás no acordo à luz daquela situação bizarra. Depois de me recuperar do choque inicial e da completa decepção, decidi me aprofundar no caso para entender o motivo de tal atrocidade e encontrar seu responsável.

A investigação

Contratei um detetive particular para investigar a situação. A carta, datilografada, chegara pelo correio, vinda de um subúrbio do noroeste de Chicago, e o endereço do remetente era um número falso de caixa postal. Como não havia caligrafia ou sinal eletrônico na carta, ela era totalmente irrastreável. Conduzimos uma busca em nosso servidor, mas não encontramos pista alguma de que a carta fora escrita nos computadores da empresa. Não tínhamos muito mais a fazer, mas continuamos investigando todo e qualquer possível indício.

Enquanto tudo isso acontecia, comecei a perceber o comportamento controverso de nossa contadora. Ela já havia sido colocada sob suspeita por questões de desempenho, e esse período fora estendido até o início de dezembro, quando ela repentinamente tirou uma semana de férias não autorizadas e viajou para a Jamaica. A situação se assemelhava a uma final de campeonato, em que o capitão do time decidia sair de campo para tomar um banho dois minutos antes do fim do jogo. Então, as circunstâncias tornaram-se ainda mais suspeitas quando percebemos que a contadora, além de falhar no apoio à equipe, não estava jogando em nosso time.

De maneira explícita, após seis meses de restrições diárias ao planejamento para o acordo, ela retornou do feriado de Ano Novo e não perguntou o que acontecera com a aquisição quando, em 4 de janeiro, não anunciamos a fusão para o *staff*. Os outros três líderes seniores questionaram o motivo para o cancelamento da reunião, pois, obviamente, aquele se tornara um assunto pertinente. Mesmo depois que cessaram todas as requisições diárias referentes ao planejamento por parte dos advogados de fusões e aquisições, dos bancos investidores e da empresa adquirente ela não disse nem perguntou nada. Ademais, seu desempenho geral no trabalho passou de questionável a péssimo. Ela não processava os relatórios com precisão nem no prazo adequado, e nosso *staff* começou a reclamar de não poder confiar nela para tarefas importantes. Ela passou a "demonstrar" sua agressividade de maneiras inapropriadas, incomodando os colegas de trabalho.

Após cuidadosa deliberação, decidi que o desligamento seria a única opção razoável. Eu esperei em sua sala por duas horas para que ela juntasse suas coisas e finalmente fosse embora murmurando algo sobre entrar com uma acusação na Comissão de Oportunidades Iguais de Emprego (EEOC, na sigla em inglês). Somente então comecei a destravar e analisar todos os arquivos que eram de responsabilidade dela.

As descobertas

De saída, descobri algo terrível. Uma das gavetas de arquivo estava lotada de correspondências ainda lacradas. Verifiquei as datas do carimbo dos correios e elas pareciam voltar no tempo. Aparentemente, ela escondia o que não tinha vontade de abrir, e fez isso por anos. Mergulhando ainda mais fundo ali, encontrei cheques de clientes que nunca foram descontados, formulários de Imposto de Renda não enviados à Receita, faturas vencidas e não pagas, cartas de agradecimento de pessoas que eu teria entrevistado, mas não o fiz porque não recebi resposta ao meu contato, e mais uma grande quantidade de documentos importantes. Eu esperava que aquela fosse a parte mais decepcionante de minhas descobertas, mas era somente o início.

Um de meus primeiros achados me transportou quatro anos e meio ao passado, quando a contadora entrou em minha sala aos prantos dizendo que seu pai morrera de um ataque cardíaco. Eu a consolei, ofereci-lhe mais dias de descanso e perguntei o que mais poderia fazer para ajudá-la naquele momento de necessidade e luto. Ela olhou para mim e disse: **"Não tenho condições de dar a ele um funeral apropriado. Não tenho dinheiro."** Respondi a ela: **"Essa é a última preocupação que deve passar por sua cabeça agora. De quanto você precisa?"**

Concordei em emprestar os US$ 10 mil que ela disse serem necessários para cobrir as despesas com o funeral e o enterro. Algo de que sempre me orgulhei como líder e executivo foi de prestar apoio a meus colaboradores em seus momentos de maior dificuldade e sofrimento pessoal. Eu fiz o cheque. Eu fui ao funeral.

Agora, quatro anos e meio depois, encontro em sua antiga sala de escritório a cópia de um cheque no valor de US$ 7.900 para pagamento à HR Solutions, suposta devolução parcial do empréstimo que fiz a ela. Então, questionei-me: "Por que ela faria uma cópia desse cheque? Ou ela fez ou não fez o reembolso." Embora eu tenha checado pessoalmente os lançamentos financeiros de reembolso em nosso sistema, agora eu estava preocupado com a possibilidade de ela ter falsificado tais lançamentos e, de fato, jamais ter depositado algum cheque na conta da HR Solutions. Como previsto, os funcionários do banco informaram que tais depósitos nunca foram efetuados.

Comecei, então, a auditar **tudo**. Eu verifiquei pessoalmente todas as folhas de pagamento a cada duas semanas nos últimos dezesseis anos, então tinha certeza de que não encontraria problemas ali. Mas, para meu desgosto, mais uma vez eu estava errado. Nossa contadora estivera secretamente calculando folhas de pagamento paralelas para si mesma; ela simplesmente omitia aqueles extratos do calhamaço que passava para minha análise. Em uma dessas folhas ela cobrou da empresa US$ 10 mil em bônus, e conseguiu sair incólume da façanha.

Em seguida, iniciei a verificação das faturas dos cartões de crédito corporativos. Nesse ponto, eu já estava apavorado com o que mais poderia encontrar. Apesar de eu ter verificado cuidadosamente todas as faturas de cada um dos cartões desde a nossa fundação, em 1995, eu precisava encontrar os impressos que ela me mostrara. Mais uma vez, descobri que ela usava o cartão da empresa para despesas pessoais. E ainda mais surpreendente, ela utilizara o cartão de crédito para financiar parte de sua viagem não autorizada à Jamaica.

Como isso escapou à minha análise? Ela removia as páginas que descreviam suas despesas fraudulentas e, então, regrampeava as demais folhas das faturas antes de encaminhá-las para minha revisão. Eu acreditava estar revisando os documentos em sua totalidade, então nunca me ocorreu acessar as faturas *on-line* para reconferência.

Os custos

Em retrospecto, eu deveria ter assegurado com mais critério a exatidão das informações que recebia e deveria ter revisado todos os dados financeiros diretamente *on-line*, em vez de apenas aceitar as cópias impressas que me eram disponibilizadas. Essa situação problemática está sendo investigada pelo Departamento de Polícia de Chicago e, claro, as pessoas são consideradas inocentes até que se prove o contrário; entretanto, nossa ex-contadora tem enfrentado inúmeras acusações de calúnia, de interferências desonestas e de violação do dever fiduciário.

Eu quis compartilhar essa história para mostrar os riscos e custos que a indiferença dos profissionais podem acarretar tanto nas finanças da empresa quanto no emocional dos demais colegas de trabalho. Não subestime a responsabilidade de contratar pessoas que não demonstram claro e visível interesse em almejar o melhor por sua organização. Funcionários desengajados podem arruinar seus negócios de modo irrevogável. Felizmente, nossa contadora não destruiu tudo o que construímos, mas conseguiu alterar nosso destino. Funcionários ativamente desengajados como ela literalmente desimantam uma CM.

Jim Collins, em seu revolucionário livro *Empresas Feitas para Durar* (Elsevier, 2001),[a] diz que **precisamos "acomodar as pessoas certas nas poltronas adequadas do ônibus"** e assim conseguiremos pilotá-lo para onde quisermos. Se você tiver as pessoas erradas dentro do ônibus, elas levá-lo na direção errada.[7]

Desde que nossa contadora deixou a empresa estou confiante de que retomamos o caminho correto. Temos a melhor equipe de colaboradores com quem tive o prazer de trabalhar desde que fundei a companhia. O sucesso tem tudo a ver com pessoas; se empregar indivíduos maravilhosos, tudo simplesmente irá se encaixar. Mas, se por algum motivo tolerar baixo desempenho e funcionários em quem não tem plena confiança, você e sua organização sofrerão prejuízos.

Todos se beneficiam com o engajamento profissional

Quando completamente engajados os profissionais se sentem plenos e satisfeitos com a carreira, a produtividade e a qualidade aumentam na empresa e os clientes experimentam melhores produtos ou serviços – e às vezes até mesmo preços reduzidos.

Um exemplo perfeito da maneira como todos se beneficiam do engajamento é encontrado no setor de cuidados com a saúde, quando verificamos o compromisso dos profissionais para com o cumprimento da norma de lavagem das mãos.[8] É assustador que ocorram aproximadamente 1,7 milhão de casos de infecção hospitalar a cada ano, levando a óbito 99 mil dessas pessoas somente nos Estados Unidos da América (EUA).[9] Uma pesquisa mostra que um indivíduo tem cinco vezes mais chances de morrer quando procura ajuda médica do que em um homicídio.

Um modo muito comum de se **causar infecções** é por meio das **mãos não higienizadas**. Dependendo das instalações, o estabelecimento de saúde pede que os profissionais adiram a certas normas

---

a - Rio de Janeiro: Elsevier, 2001. (N.T.)

sanitárias. A palavra **pedir** é importante neste contexto porque os funcionários podem escolher seguir ou não o procedimento da organização. A lavagem das mãos requer trabalho extra em benefício do profissional. Fazer esse esforço no local de trabalho depende da motivação pessoal de cada um, e, então, esse empenho pode significar algo imprescindível ou um empecilho. Os funcionários precisam efetuar centenas de decisões todos os dias. Eles vivenciam o tempo todo oportunidades de dar o melhor de si, mas a decisão sobre fazer isso ou não é somente deles. Acreditamos que a higienização das mãos seja um excelente indicador de nível de engajamento para sabermos se os profissionais aplicariam ou não um esforço adicional de sua parte quando solicitados por seu empregador.

Decidimos questionar funcionários confidencialmente a respeito de sua anuência à solicitação de lavagem das mãos feita pela empresa de saúde e correlacionar essa informação ao seu nível de engajamento de uma avaliação de funcionários. Encontramos um coeficiente de correlação quase perfeito (**r** = + 0.99) entre o **respeito à solicitação** e o **engajamento do profissional**. A correlação positiva de Pearson não conclui que o engajamento gera a adoção ao procedimento. Entretanto, podemos perceber com facilidade que colaboradores empenhados em realizar um bom trabalho e que estão alinhados com a missão da empresa de curar pacientes fariam esforço para seguir práticas que já se provaram úteis para esse fim. Nesse setor, o engajamento não gera apenas uma clientela leal, ele salva vidas.

O engajamento afeta o resultado final de todas as maneiras que se pode imaginar, e é essencial para a construção de uma CM. Se você tem qualquer aspecto a **melhorar em sua empresa**, aposto que ele está conectado, de alguma maneira, ao **engajamento dos funcionários**.

Capítulo 2

Engajamento é uma via de mão dupla: oito passos para se criar um ambiente de compromisso compartilhado

"Problemas não podem ser resolvidos utilizando-se os mesmos conhecimentos que os criaram."

- Albert Einstein

"Ainda não cinco horas?" Esta, provavelmente, não é a pergunta que você, como gestor, mais gosta de ouvir em seu ambiente de trabalho. Apesar de os funcionários chegarem sempre no horário e realizarem seu serviço, muitos deles contam as horas, minutos e até segundos para poderem voltar para casa.

Não seria ótimo se os funcionários gostassem mais do próprio trabalho? Como gestor, existe muito que você pode fazer para motivar um colaborador que não tem interesse algum em tornar-se engajado. A verdadeira questão é que o colaborador precisa querer ser mais engajado. Quando a responsabilidade pela elevação do engajamento é compartilhada, os resultados tornam-se muito mais favoráveis para o funcionário e para o empregador. Portanto, é fundamental que os membros do *staff* entendam os benefícios pessoais de se mostrarem colaboradores engajados.

Na maioria das vezes, o objetivo da construção do engajamento é centrado nas melhorias que ele pode gerar à organização. Apesar de a empresa se beneficiar bastante de uma equipe mais dedicada e comprometida, os colaboradores querem saber o que eles têm a ganhar com isso. Afinal, por que deveriam trabalhar com mais afinco apenas para tornar a empresa mais bem-sucedida se não percebem nenhum benefício direto por tal aprimoramento? A verdade é que os colaboradores **irão** se beneficiar diretamente por se tornarem mais engajados; eles somente precisam entender **de que maneira** isso irá ocorrer.

Explicar aos empregados o que eles têm a ganhar com o aperfeiçoamento de seu nível de engajamento é uma peça quase sempre faltante no verdadeiro quebra-cabeças que representa a gestão de talentos. Existe uma ironia considerável sobre o fato de os colaboradores serem historicamente excluídos de quaisquer iniciativas de promoção ao seu próprio engajamento. Como ressaltou um de nossos clientes, deixar os funcionários fora do processo de engajamento de funcionários é o maior entre todos os paradoxos. As organizações precisam criar mecanismos para que os membros de sua equipe administrativa entendam seu nível pessoal de engajamento e também de que maneira conseguirão se aperfeiçoar. Gestores deveriam conversar com seus colaboradores sobre os desafios relacionados ao engajamento, fazendo-os sentirem-se confortáveis com o assunto. Em um cenário ideal, todo mundo iria para o trabalho todos os dias ostentando uma atitude positiva, independentemente do que estivesse acontecendo ao seu redor. Mas, na realidade, tal comportamento não deve ser esperado Todo emprego tem seus pontos altos e baixos. Não importa o quanto as pessoas amem a empresa em que trabalham ou a posição que ocupam, existem momentos em que seu engajamento é testado. O que define a determinação e o sucesso das pessoas é a maneira como lidam com as situações difíceis.

Lidando com situações difíceis

Quando eu era muito mais jovem, um amigo me arrumou um emprego para trabalhar com seu pai. Tratava-se de um trabalho braçal e nós éramos especializados em diversos serviços, como hidráulica e elétrica. Como aquilo envolvia habilidades práticas, fiquei feliz com a oportunidade de aprender, além de ganhar algum dinheiro durante as férias de verão do colégio. Em geral, eu gostava do trabalho, mas jamais esquecerei o dia em que minha motivação e determinação foram colocadas à prova máxima.

Nossa empresa foi chamada por uma escola infantil local que estava enfrentando sérios problemas em sua rede de esgoto. Para quem não tem familiaridade com esse tipo de serviço nem com sistemas de esgoto, garanto que ambos podem ser muito piores do que se possa imaginar. Vou tentar poupar você da maioria dos detalhes, mas naquela semana eu teria sido a escolha perfeita para estrelar o programa *Trabalho Sujo*, do Discovery Channel.

Depois de chegarmos ao local e investigarmos o problema, percebemos que o tanque da fossa séptica estava apresentando refluxo por causa de uma falha elétrica em sua bomba de sucção interna. Para resolver a questão precisaríamos esvaziar o tanque, pois isso permitiria que alguém entrasse lá e verificasse que tipo de falha elétrica ocorrera na bomba. Para meu desespero, meu chefe determinou que eu fizesse o trabalho. Eu, com certeza, não tinha o mínimo desejo de cumprir tarefa tão asquerosa, mas era algo que precisava ser feito. A escola infantil não poderia operar sem um sistema de esgoto, então percebi a importância de realizar o serviço de maneira rápida e eficaz. Era raro sermos chamados para serviços tão terríveis como esse, portanto, logo percebi que se respondesse à altura diante daquela situação, certamente ganharia o respeito do meu chefe e dos colegas. Então, decidi sugar o tanque e fazer o que precisava ser feito.

De fato, gostaria de poder dizer que completei a tarefa de maneira corajosa, mas, preciso admitir que vomitei três vezes antes mesmo de chegar dentro do tanque. Mas eu estava determinado e não queria desistir de resolver o problema. Disseram que o tanque fora limpo, o que, aliás, estava muito longe de ser verdade: acabei com os tornozelos imersos em detritos e com mais daquela porcaria gotejando sobre minha cabeça. As botas e luvas de borracha fornecidas pela empresa para minha proteção também não auxiliaram muito como isolantes. Além disso, o fato de fazer 32ºC naquele dia e de não haver nenhuma ventilação no local não ajudou em nada. No final, o problema com a bomba era tão catastrófico que precisamos de uma semana para consertá-la.

Eu vestia minhas próprias roupas no serviço, portanto, em vez de arruinar todas elas, optei por usar a mesma camisa e calças jeans todos os dias enquanto trabalhava no tanque. Quando chegava em casa eu simplesmente me despia no canto da entrada da garagem e deixava a roupa ali até a manhã seguinte. A pior parte daqueles dias era levantar cedo e ter de vestir de novo aquelas peças cheias de crostas de excremento endurecido. No primeiro dia eu levei meu almoço, mas logo percebi que estava enojado demais para comer. Em vez de fazer pausas, eu trabalhava direto para tentar terminar a tarefa o mais rápido possível. Aquele foi, até hoje, o serviço mais nojento que precisei realizar.

A equipe da escola infantil ficou muito grata quando finalizei o trabalho. Eles finalmente poderiam voltar a utilizar os toaletes do estabelecimento, pois sabiam que o terrível odor logo seria atenuado. Embora a execução do serviço tenha sido desagradável, foi maravilhoso poder ajudar o pessoal da escola. Meus colegas e meu chefe também demonstraram mais respeito por mim; especialmente meu chefe, que, na maior parte do tempo, ficava me observando da calçada, a uns seis metros de distância do tanque. Provei a eles que, acima de tudo, eu tinha **comprometimento** e que não deixaria as frustrações diárias influenciarem em meu trabalho. Nesse sentido, a dificuldade em completar a tarefa com sucesso tornou-a ainda mais recompensadora. Certamente, aquela foi uma experiência única de vida, mas muito mais bem encarada em retrospectiva de minha história profissional.

Gosto de usar esse exemplo em minhas consultorias porque, com ele, as pessoas conseguem perceber as coisas em perspectiva. Embora existam empregos cujas situações difíceis sejam ainda piores que estar cercado por dejetos, acho seguro dizer que a maioria não se encaixa nessa descrição. Se conseguir manter seu foco no plano geral durante as adversidades temporárias, os desafios chegarão ao fim antes mesmo que você os perceba e os dias "normais" de trabalho irão lhe parecer absolutamente maravilhosos. Esta é uma maneira muito melhor de se viver a vida – e não somente no local de trabalho.

Acredito, com firmeza, que grande parte do engajamento advém de escolha pessoal; cada um de nós, ao levantar-se pela manhã, tem o poder de escolher de que maneira vai encarar o dia: a) com **otimismo** e **comprometimento**, b) com **negatividade tóxica** e **desengajamento** ou c) com **indiferença.**

Como empreendedor, tenho um apreço especial por isso. Toda pessoa que teve a oportunidade de começar uma empresa do zero já investiu horas enumerando todos os desafios e barreiras que enfrentou para alcançar o sucesso sobre algo que ameaçava seu empreendimento. Quase todos os empreendedores de sucesso que conheci creditam seu êxito à determinação e à perseverança, mesmo quando tudo indicava que sua organização estava fadada à falência. Uma de minhas frases favoritas em japonês é ***Ganbatte kudasai***, que significa, figurativamente, "Boa sorte", e, literalmente, "Persevere". De fato, **"A sorte é o que acontece quando o preparo encontra a oportunidade"**, uma citação atribuída a diversas pessoas, desde Sêneca, filósofo romano do século primeiro, até Oprah Winfrey nos seus programas de TV. Pense a respeito. Você costuma se esforçar para alcançar sua sorte ou está sempre à espera de que ela surja magicamente de algum lugar?

Situações novas impõem desafios desconhecidos. A aceitação de um novo desafio se inicia pela escolha da postura que se adotará diante dele. Em vez de escolher o caminho da vitimização e da autodepreciação, podemos nos confortar com a serenidade de uma oração como esta: "Senhor, conceda-me a serenidade para aceitar as coisas que não posso mudar, a coragem para mudar as coisas que estiverem ao meu alcance e a sabedoria para conseguir diferenciá-las."

Sabemos que nossos filhos talvez venham a experimentar drogas no futuro; reconhecemos o quão mal anda a economia e que podemos perder o emprego por causa disso; estamos cientes de que, apesar de nossos hábitos saudáveis, somos passíveis de adoecer seriamente. Porém, em vez de nos tornarmos prisioneiros dessas preocupações abissais, e admitindo que não temos controle sobre nenhuma dessas possibilidades, é muito mais fácil e libertador deixarmos que as coisas aconteçam naturalmente.

O trecho "e sabedoria para conseguir diferenciá-las," ao final da oração, não precisa invocar negatividade. A citação do escritor e pastor norte-americano William Arthur Ward resume isso perfeitamente: "O pessimista reclama do vento, o otimista espera que ele mude de direção e o realista ajusta as velas do barco." Você já ajustou as suas velas rumo ao **magnetismo** e ao **engajamento**?

Construindo relacionamentos saudáveis

O esforço que as pessoas investem em seus relacionamentos deveria funcionar como uma via de mão dupla. Independentemente de se tratar de família, amigos, clube ou comunidade é preciso **dar e receber** para se construir relacionamentos saudáveis. Quando alguém recebe o tempo todo e nunca oferece nada em troca, as pessoas ao seu redor começam a sentir que a relação está desbalanceada e que elas estão sendo lesadas. Embora essas ideias sobre relações equilibradas sejam uma norma social, no contexto profissional as pessoas geralmente têm um ponto de vista diferente.

No local de trabalho, é muito frequente que os funcionários deixem que o chefe promova o engajamento deles com a empresa em vez de eles próprios tomarem tal iniciativa (ver Figura 2.1). Com essa mentalidade, os colaboradores acreditam que o empregador detém todas as cartas nas mãos. Eles também acham que, se não gostarem do modo como as coisas forem resolvidas, nada poderão fazer para melhorar a situação. Se os funcionários ficam insatisfeitos, em geral se mantêm assim por considerarem que não têm o poder para fazer mudanças que possam aprimorar o *status quo*. Por fim, muitos preferem, inclusive, deixar a empresa.

No passado, os empregadores eram os responsáveis diretos pelo engajamento de seus colaboradores. Contudo, esse modelo infelizmente quase nunca garantia bons resultados, nem para o funcionário nem para o empregador. O engajamento é como o amor: não se pode exigi-lo das pessoas! Mesmo quando os gestores lutam para envolver toda sua equipe, se os funcionários não sentirem que estão de fato sendo engajados eles se tornam letárgicos e introvertidos. É preciso que o relacionamento empregador-empregado se espelhe nas normas sociais que encorajam o conceito de dar e receber.

Figura 2.1 - O aspecto desigual do engajamento de funcionários

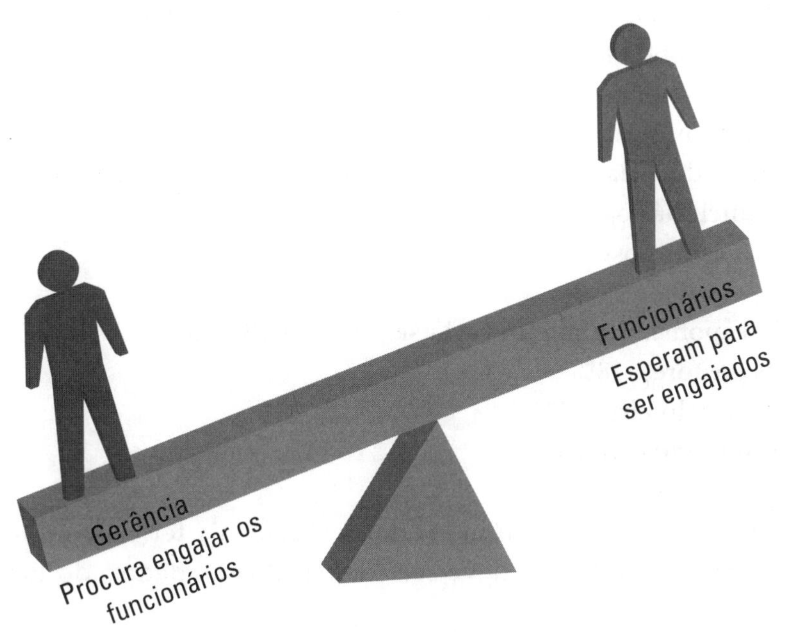

Nos últimos anos, a satisfação dos colaboradores tem sido um tópico comum à **gestão de talentos**. Porém, o engajamento profissional é um indicador bem mais poderoso do grau de relacionamento e de contribuição dos funcionários para com a empresa. O nível de satisfação é um indicador geral de humor ou opinião; o de engajamento demonstra o comportamento e o alto desempenho dos colaboradores, que se preocupam com a empresa e em dar a ela o melhor de si. A satisfação não está diretamente ligada a ações e a comportamentos específicos. Funcionários satisfeitos podem ser aqueles que apresentam baixo desempenho, mas estão felizes com sua própria situação, sem demonstrar desejo por aperfeiçoamento ou promoções. Por não se preocuparem com a organização, eles podem mostrar-se relutantes em compartilhar a responsabilidade por seu engajamento. Como empregador, seria proveitoso contar com profissionais satisfeitos em seu *staff*, mas que não queiram contribuir? É claro que não. Mas, então, por que se deveria mensurar o grau de satisfação dos funcionários se este não é um indicador de sucesso organizacional? A melhor métrica para a gestão de talentos é, sem dúvida, o engajamento de funcionários.[1]

Descobrimos que o modelo de coparticipação de engajamento está começando a ressoar entre os profissionais. Em uma pesquisa de opinião *on-line* que realizamos recentemente, fizemos a seguinte pergunta a colaboradores de diversos setores: **"Quem, em sua opinião, deveria ser o principal responsável pelo engajamento dos funcionários?"**

Veja as respostas:

- **A responsabilidade deveria ser compartilhada: 73%**
- **Os gestores: 18%**
- **Os funcionários: 7%**
- **Não tenho certeza: 2%**

Apesar de o maior número de profissionais ter respondido que a responsabilidade deve ser compartilhada, dentro do local de trabalho a maioria deles se mostra ambivalente ou ativamente desengajada. Com certeza, algo provoca essa desconexão no que se refere à iniciativa dos funcionários em aumentar seu engajamento.

Por muitos anos, o engajamento foi encarado como uma via de mão única pela qual somente a gerência podia transitar. Mas, por que, afinal, a administração deveria manter para si toda a responsabilidade pelo engajamento de seus funcionários? Ao longo de décadas, o conceito promissor de coparticipação de responsabilidade pelo engajamento de funcionários foi completamente desperdiçado por todo o setor de recursos humanos – Gallup, Hewitt Associates, Watson Wyatt Worldwide/Towers Perrin (Towers Watson), Hay Group, Sirota, Valtera **e** HR Solutions.

Na outra extremidade, algumas pessoas acreditam que 100% da responsabilidade pelo engajamento pertence aos funcionários. David Zinger, especialista em engajamento, pensa desse modo. Ele me disse: "Ninguém, além de mim, é responsável por meu engajamento." Apesar de acreditar que a empresa e seus gestores desempenham um papel importante no processo, na realidade, são os funcionários os verdadeiros responsáveis por gerenciá-lo. Ele considera que a melhor maneira de os líderes ajudarem seus empregados é oferecendo-lhes apoio para que se tornem responsáveis pelo próprio engajamento.

É preciso que o caminho para o engajamento evolua e se torne uma via de mão dupla que possa ser percorrida tanto pelos funcionários como pelos gestores. Capacitar os colaboradores para que assumam a responsabilidade pelo seu engajamento é a chave para uma CM.

Oito passos importantes para a coparticipação de responsabilidade

Winston Churchill disse, certa vez: **"Nós damos forma aos nossos edifícios; depois são eles que nos moldam."** Nada poderia ser mais verdadeiro no que se refere à propriedade e à responsabilidade compartilhadas. Toda organização que espera construir uma CM deveria iniciar sua empreitada por meio da construção de uma "arquitetura organizacional invisível". Dentro desse sistema, será possível edificar uma sólida estrutura de propriedade enquanto valor partilhado.

Para se ter uma ideia da importância da propriedade, considere seus efeitos sobre nossas ações. Alguma vez você levou um carro que tenha alugado para trocar o óleo? Claro que não. Nessa situação você não é o dono, apenas um locatário, portanto, agirá como tal. Porém, quando você possui um carro, quer ter certeza de que o óleo dele seja trocado com a regularidade necessária para que o veículo continue funcionando bem pelo máximo de tempo possível. O mesmo se aplica a uma organização: o empregador quer que seus funcionários pensem e ajam como donos. Se você erigir uma estrutura organizacional que preze pelo conceito de propriedade seus colaboradores irão exibir a paixão, o prazer e a lealdade característicos dessa posse.

Gestores e funcionários devem apontar os desequilíbrios referentes à própria responsabilidade pelo engajamento no trabalho e tomar atitudes a fim de saná-los. Se os colaboradores não se envolvem na busca de soluções para o engajamento, eles se tornam parte do problema.

Primeiro passo – Ensine o conceito de engajamento

Acredito piamente que a maneira pela qual cada pessoa é criada gera um enorme impacto sobre sua propensão em aceitar responsabilidade por seu engajamento. Os valores instilados em nós por nossos pais exercem papel significativo no modo como percebemos o mundo, no que a sociedade espera de nós e naquilo que esperamos de nós mesmos. Como pai, procuro ensinar às minhas duas filhas o valor do trabalho duro e da dedicação. Eu as crio sob a noção de que ambas alcançarão sucesso na vida se se comprometerem a fazer sempre o melhor que puderem. Para mostrar às meninas a importância da ajuda mútua e do trabalho em equipe, minha esposa e eu procuramos sempre dar a elas algumas tarefas. Esses, aliás, são os mesmos conceitos essenciais que as pessoas precisam abraçar para serem felizes e bem-sucedidas no mundo profissional. Portanto, para que tais valores se fixem adequadamente, vale a pena introduzi-los desde a tenra infância.

Na HR Solutions, eu percebo todos os dias a maneira pela qual a formação das pessoas influencia em sua ética no trabalho. Ashley, uma de nossas colaboradoras, foi criada na fazenda de sua família, em Minnesota. Ela cresceu ajudando seus pais a plantar e a colher. Muitas outras famílias daquela região também tinham fazendas, e todas as crianças começavam a contribuir desde pequenas. Era comum a crença de que ajudar no negócio da família era responsabilidade de todos seus integrantes, especialmente na época da colheita.

Alguns anos atrás, atravessamos um dos períodos mais atarefados da história de nossa empresa. Estávamos completamente atolados em pedidos de orçamento, apresentações comerciais e reuniões com clientes; tudo deveria ser feito em um curtíssimo período de tempo. Aquela foi uma época de enormes desafios para todos de nossa empresa, mas eu estava confiante que os esforços nos garantiriam ótimos resultados, além de novos negócios. Eu apenas precisava me certificar de que meus funcionários estariam dispostos a trabalhar horas extras para dar conta do recado. A maioria do pessoal parecia estar sentindo a pressão, mas quando deparei Ashley, ela estava calma, tranquila e controlada, e disse: "Kevin, quando chega a época da colheita, é tempo de colher."

Aquele foi um exemplo admirável de ética no trabalho e de responsabilidade pessoal pelo sucesso da equipe. Daquele dia em diante, soube que poderia contar com Ashley em períodos de grande desafio – e ela continua integrando nosso time. (Um conselho pessoal: se, por acaso, entrevistar alguma candidata vinda de uma fazenda de Minnesota, considere aplicar a experiência rural dessa pessoa em seus negócios.)

Apesar de algumas pessoas, em virtude da própria formação, entenderem naturalmente o significado de **corresponsabilidade**, é dever dos gestores e dos empregadores ensinar todos seus funcionários sobre o conceito de engajamento. Muitas pessoas desconhecem o significado e os sinais de envolvimento; o que pode parecer óbvio para um profissional experiente talvez se mostre completamente novo para os menos preparados. É preciso, portanto, explicar aos colaboradores não apenas o real significado de engajamento, mas, também, a razão de sua importância e quem é responsável por ele. A direção também deve esclarecer aos empregados o que eles têm a ganhar assumindo sua parte da responsabilidade pelo engajamento.

Benefícios conquistados por assumir a responsabilidade pelo próprio engajamento

- Recebe-se o merecido reconhecimento.
- Contribui-se para o desenvolvimento de um plano de carreira bem-definido, com base em promoções e progressões.
- Torna-se o próprio trabalho mais interessante.
- Aprende-se a trabalhar com um superior difícil e também a melhor maneira de gerenciá-lo.
- Facilita-se a compreensão gestor-funcionário.
- Adquire-se os recursos necessários para se fazer um trabalho benfeito.

Quando os colaboradores entendem os benefícios específicos de se tomar para si a **responsabilidade sobre o próprio engajamento**, tornam-se muito mais dispostos a participar ativamente do processo. Ademais, funcionários que partilham esse dever se sentem muito mais no controle do próprio futuro, o que é altamente estimulante.

Estudo de caso: "Provoque" engajamento

Dedicada ao Advancing Wellness™ ("Bem-Estar Avançado")[a] tanto dos seus pacientes como funcionários, a Hospira, empresa

a - Referência à marca registrada da empresa: Advancing Wellness™. (N.T.)

global especializada em tecnologia e farmacêutica sediada em Lake Forest, Illinois, divulga o vínculo existente entre o engajamento de seus profissionais e a satisfação dos seus pacientes. Em um excepcional exemplo de entendimento do panorama geral, a empresa investiu na ideia de corresponsabilidade entre seus gestores e funcionários. A organização incorporou os recursos inexplorados dos seus mais de 14 mil funcionários espalhados pelo mundo, com a firme certeza de que o engajamento não deve ser obrigação exclusiva de seus gestores; ao contrário, deve envolver a contribuição da administração e de toda a sua equipe. Para tanto, foi criado o programa "Ignite".[b]

De acordo com Ken Meyers, vice-presidente sênior e diretor de Recursos Humanos da Hospira, o Ignite não é somente um programa, mas uma marca sob a qual acontecem múltiplas iniciativas de coparticipação de engajamento. Ao criar o programa, a vice-presidente de Desenvolvimento da Organização, Pamela Puryear, Ph.D., criou um meio para que todos os colaboradores se conectassem aos diversos funcionários participantes de sistemas que geram engajamento. Agora, quando os membros da equipe deparam alguma tarefa que leva o selo Ignite, instantaneamente percebem que podem contribuir para com ela. Isso faz com que esses indivíduos **"se inspirem"** e assumam a responsabilidade por seu próprio desenvolvimento profissional e engajamento para com a empresa.

A utilização do Ignite para inspirar a coparticipação é ilustrada mediante dois programas-chave:

- **Incentivo Ignite** – Aproximadamente 40 subsídios, no valor de até US$ 5 mil cada, são distribuídos anualmente aos membros da equipe que descobrem alguma necessidade de aprendizagem e desenvolvimento à empresa e que montam

---

b - *Ignite*, do inglês, pode significar provocar, acender, inflamar, incendiar, excitar etc. No contexto, a intenção da empresa ao nomear seu programa desse modo foi conclamar seus colaboradores a contribuir com o que pudessem nas atividades rotuladas sob tal selo. (N.T.)

um planejamento detalhado para atendê-la. De acordo com a doutora Puryear, os funcionários são as pessoas mais qualificadas para identificar suas próprias necessidades, e o subsídio proporciona o pagamento pela assunção do controle em atendê-las. É muito mais fácil alcançar a coparticipação no engajamento quando se tem os recursos adequados. Quando os profissionais dispõem de meios para alavancar sua contribuição no trabalho, apresentam probabilidade mais elevada de se tornar ativamente engajados.

- ***Kit* de ferramentas Ignite para fomentar seu crescimento profissional**[c] – Esse *kit* de ferramentas *on-line* de planejamento e desenvolvimento de carreira disponibiliza quase uma dúzia de instrumentos de fácil utilização que os colaboradores podem acessar a qualquer momento. O *kit* inclui recursos como autoavaliações e melhores práticas para a compreensão de cada nível de engajamento individual. As ferramentas estão disponíveis a todos os profissionais da Hospira no mundo, e são utilizadas pelos funcionários em colaboração com sua liderança. O *kit* possibilita que os colaboradores tomem para si a responsabilidade por seu próprio crescimento.

Mediante o grande sucesso que a marca Ignite alcançou até o momento, Ken Meyers, Pamela Puryear e outros líderes seniores da Hospira planejam continuar estimulando seus funcionários a abraçar iniciativas de engajamento. A marca representa um método bastante inspirador para promover a coparticipação no engajamento. E pelo fato de receber contribuições de ambas as extremidades de sua força de trabalho, a Hospira certamente continuará avançando nessa área.

A iniciativa de relacionar o engajamento como uma marca da empresa é uma ótima maneira de estimular seu conhecimento e sua compreensão. Muitos funcionários ficarão surpresos ao perceber que seus gestores se importam com seus sentimentos

c - O nome do programa, no original, é *Ignite Your Growth Toolkit*. (N. T.)

e suas opiniões. Para esses profissionais, o engajamento não é apenas um novo conceito, mas uma nova maneira de encarar o mundo do trabalho.

Segundo passo – Ajude os funcionários a entenderem seu próprio nível de engajamento

É possível compreender totalmente o conceito de engajamento e, mesmo assim, falhar em interpretar de maneira adequada o próprio nível de envolvimento. Avaliações incorretas são comuns e podem ocorrer por diversos motivos.

Tendo em vista que a ideia de ser desengajado pode evocar conotação negativa, em especial quando se trata de ética no trabalho, as pessoas naturalmente se sentem relutantes em autoqualificar-se sob esse atributo. Ademais, elas, em geral, não conseguem identificar as áreas nas quais precisam melhorar. Indivíduos extremamente negativos, por exemplo, não percebem a si mesmos desse modo, mas quem os rodeia nota isso com rapidez e facilidade. Quando os gestores descrevem as características e as ações relativas aos diferentes níveis de engajamento, torna-se muito mais fácil para os funcionários perceberem com exatidão onde realmente se encaixam.

Outro fator importante que contribui para a confusão no estabelecimento do nível pessoal de engajamento dos funcionários é o fato de este ser um atributo variável, capaz de sofrer grandes alterações ao longo de todo o período em que o indivíduo se mantém no emprego. E isso geralmente acontece. Os funcionários podem acabar se acomodando (a tendência *"rest and vest"*) no trabalho quando se sentem satisfeitos com o que lhes é proporcionado. Na década de 1990, os trabalhadores do Vale do Silício se tornaram complacentes e deixaram de se esforçar a fim de alcançar novos resultados. Aquele momento histórico para a tecnologia da informática gerara um senso de bonança que muitos acreditavam não teria fim. Porém, mais cedo que o esperado, tamanho sucesso se dispersou, e os incontáveis funcionários que agiam de maneira condescendente acordaram quando a empresa em que trabalhavam já não estava mais em crescimento, ou, em alguns casos, quando ela já não existia mais. As organizações cujos funcionários mantiveram o rigor tiveram chances muito melhores de manter seu êxito no fim daquela era.

Os profissionais frequentemente não percebem sua mudança de nível de engajamento porque pré-qualificaram-se em uma das três categorias: **ativamente engajados, ambivalentes, ativamente desengajados**. Ao contrário de reconhecer que mudaram, continuam acreditando que estão no mesmo nível. Com isso em mente, a avaliação e o verdadeiro entendimento do engajamento deve ser foco de atenção contínua para os colaboradores de todos os níveis e cargos.

RELATÓRIO INDIVIDUAL DE ENGAJAMENTO DE FUNCIONÁRIO

Um método excelente para os colaboradores descobrirem seu verdadeiro nível de engajamento é utilizando-se do PEER®, Relatório Individual de Engajamento de Funcionário,[d] desenvolvido pela HR Solutions em 2007, e cuja patente ainda está pendente. O PEER® revoluciona o relacionamento entre funcionários e gestores ao colocar o engajamento nas mãos dos funcionários. O PEER® é um relatório eletivo e totalmente confidencial que, além de destacar o nível de engajamento do colaborador (ativamente engajado, ambivalente ou ativamente desengajado), fornece sugestões específicas sobre de que modo o profissional pode melhorar seu envolvimento no local de trabalho. As sugestões de passos para ações específicas são baseadas na maneira que o funcionário responde a alguns itens da pesquisa.

Por exemplo, se um colaborador marca pontos desfavoráveis em resposta ao item "Meu supervisor encoraja meu crescimento profissional", seu relatório PEER® irá proporcionar ideias para o aprimoramento de sua dimensão profissional Desenvolvimento de Carreira. Algumas das sugestões seriam:

- "Busque orientação profissional particular. Pergunte ao seu supervisor a respeito das conquistas por ele alcançadas e descubra o que funcionou para o crescimento profissional dele."
- "Se você tem forte experiência profissional e interesse em desenvolver outras pessoas, pergunte ao seu supervisor se você pode atuar como mentor para novos colegas de trabalho."

---

d - No original, Personal Employee Engagement Report. (N.T.)

O PEER ajuda os funcionários a receber aconselhamentos personalizados e práticos a fim de elevar o engajamento, além de funcionar como uma excelente ferramenta de apoio ao processo de coparticipação.

Se quiser receber uma amostra grátis de PEER para entender melhor seu próprio nível de engajamento, por favor acesse **www.hrsolutionsinc.com/peer.cfm**

Nem todos os colaboradores irão abraçar o conceito de **corresponsabilidade** pelo engajamento de funcionários. Na verdade, muitos irão evitá-lo com veemência. E não será surpresa para você quando descobrir que esses que a rejeitam fazem parte do grupo dos ativamente desengajados.

Posto que o PEER é opcional aos empregados, claro que muitos deles em diversas organizações escolhem não participar. Podemos dizer que, a partir da demografia de engajamento do PEER, aqueles que escolhem realizá-lo fazem parte de um grupo muito mais engajado que o geral. De todas as pessoas que requerem o PEER, 45% delas são ativamente engajadas, em comparação às 12% ativamente desengajadas.[3] Por esse motivo, em um esforço para conseguir de fato se conectar a seus colaboradores ativamente desengajados e instruí-los, muitas companhias tornaram obrigatória a realização do PEER.

Terceiro passo – Os funcionários devem realizar *brainstorms* a respeito do que pode aumentar ou diminuir seu nível de engajamento

Tendo em vista que cada pessoa conhece muito melhor seus próprios desejos e motivações, os colaboradores têm habilidade bem mais elevada para determinar

os ajustes que podem lhes render diferenças significativas. Ao pensar a respeito de todos os aspectos inerentes à sua posição e ao seu local de trabalho, e preparar uma lista com o que mais apreciam e o que gostariam que fosse alterado, os funcionários conseguem determinar todos os seus influenciadores – dos mais complicados aos mais simples.

Os profissionais devem oferecer sugestões sobre o que serão capazes de fazer para aprimorar seu próprio engajamento. Talvez uma colaboradora não goste do trabalho que realiza, mas ainda não dispõe de experiência suficiente para ser promovida. Nesse caso, ela poderá expressar seus sentimentos ao gestor e sugerir um plano de ação que lhe permita alcançar tal experiência a fim de continuar crescendo profissionalmente. Talvez ela possa fazer um curso após o expediente ou acompanhar o trabalho de um funcionário experiente no cargo que ela almeja. Trata-se de um trabalho extra para a funcionária, mas que pode, no final, ajudá-la a conseguir ascensão a um cargo cujo trabalho lhe será mais prazeroso, elevando assim seu engajamento.

Quando os funcionários não conseguem pensar em nada que talvez consiga aumentar seu engajamento, às vezes, o melhor a fazer é indicá-los para a realização de determinadas tarefas – como naqueles momentos em que você define quem irá assumir o trabalho após pedir por um voluntário, mas ninguém ter se habilitado a levantar a mão. Se você é pai ou mãe, deve estar craque nisso. É como quando seus filhos começam a reclamar que estão entediados e você sugere que eles vão brincar no quintal. Em alguns casos você até insiste para eles irem; para o benefício deles e seu também. Você sabe que eles acharão o que fazer para se divertir se forem impulsionados a fazer isso, e a mudança na atitude deles vai tirar um peso dos seus ombros. Trata-se de uma situação em que ambas as partes saem ganhando.

Por incrível que pareça, o mesmo conceito também funciona para adultos. Às vezes precisamos de um empurrãozinho extra para começar a trabalhar naquilo que finalmente vai aumentar nossa felicidade. Na posição de gestor, você tem a especial oportunidade de acabar com a inércia do progresso ao "induzir" seus colaboradores a tomar novas iniciativas que irão elevar o engajamento deles. Em resumo, irão **reengajá-los**. Se os funcionários não se mostrarem satisfeitos com o que lhes foi indicado a fazer, pode ser interessante observar de que maneira esse desprazer estimula a imaginação deles em direção a outras opções. Trata-se de mais um cenário de ganho para ambas as partes.

Quando os profissionais apresentam suas próprias sugestões para promover o engajamento e persistem em seus planos, demonstram o quanto estão prontos a assumir responsabilidades para ajudar e facilitar mudanças. Os gestores não podem erguer uma varinha mágica e dar aos funcionários tudo o que precisam para vencer na carreira (mais formação, treinamentos, experiência, certificações etc.), mas podem apoiá-los em sua busca para alcançar essas metas. Se um colaborador precisa sair mais cedo da empresa toda semana para conseguir chegar a tempo a um curso, o gestor deve apoiar o engajamento ajudando-o nessa necessidade, como fazem a maioria das empresas que dispõem de uma CM.

Quarto passo – Funcionários e gestores devem marcar reuniões particulares para conversar sobre como podem ajudar um ao outro de modo a elevar o engajamento.

Além de determinar o que os afeta, os funcionários precisam comunicar isso abertamente. Algumas mudanças são imperativas para que se removam os obstáculos ao engajamento, e os gestores devem entender os sentimentos e opiniões de seus colaboradores para poder agir. Um ótimo momento para se conversar sobre isso é durante as avaliações de desempenho. Ao longo de décadas as organizações conduziram avaliações de desempenho anuais de seus funcionários para determinar uma variedade de fatores, como aumento de salários, promoções e necessidades de treinamento e desenvolvimento. Essas conversas são a oportunidade perfeita para se discutir e examinar o engajamento, mas a maioria das empresas não as aproveita para este fim. O Instituto de Pesquisa HR Solutions estima que menos de 5% das avaliações de desempenho conduzidas por gestores engloba discussões sobre o nível individual de engajamento e também sobre as possíveis falhas de cada funcionário. Algumas alterações que beneficiariam o engajamento poderiam ser implementadas com facilidade se os gestores simplesmente tomassem conhecimento delas. O engajamento deveria ser incluído nas avaliações de desempenho por três motivos principais:

- **É eficiente**. Os gestores e seus subordinados diretos já estão preparados para conversar sobre o que está funcionando bem e o que pode ser melhorado. Tendo em vista que pode ser difícil encontrar tempo para esse tipo de discussão, faz sentido incluir o tópico engajamento a um evento predefinido, no qual gestores e subordinados diretos estão dispostos a ter um diálogo aberto.
- **Possibilita o estabelecimento e o rastreamento de metas.** Futuros objetivos de desempenho podem ser estabelecidos e acordados durante as avaliações. As metas de engajamento também podem ser firmadas nesse momento. A correlação entre as linhas do tempo de desempenho e de engajamento facilita o exame de ambas.
- **Gera interesse e entusiasmo a respeito das avaliações de desempenho.** Geralmente, as avaliações de desempenho são encaradas pelos funcionários como mais um obstáculo a ser transposto. Elas podem ser percebidas pelos empregados como uma estrutura inútil, se eles não veem mudanças positivas como resultado. Incluir o engajamento na avaliação de desempenho é uma excelente maneira de aumentar o interesse dos funcionários, uma vez que nela são discutidos assuntos importantes para eles. Essa ação também passa a mensagem positiva de que a administração se preocupa com o engajamento de seus colaboradores e quer ajudar a preencher as lacunas.

Os gestores devem explicar aos seus funcionários que todos dispõem de certas condições capazes de construir ou reduzir o nível de engajamento. Desse modo, os funcionários se sentirão à vontade para conversar sobre o assunto. Como qualquer outra preferência pessoal, o engajamento é diferente para cada pessoa. Se todos os dias na hora do almoço um colega lhe oferecesse o mesmo doce por pensar que você o acha saboroso – embora você o detestasse –, você o comeria somente para satisfazê-lo ou finalmente diria "Não, obrigado"? Em vez de fingir que aprecia coisas para as quais na verdade não dá a mínima, faz mais sentido abrir-se sobre seus sentimentos. As pessoas percebem isso facilmente fora do local de trabalho, mas perdem essa noção quando estão trabalhando.

É importante ressaltar a gigantesca diferença que existe entre partilhar preferências pessoais e reclamar. Por não desejarem parecer depreciativos ou negativos, muitos funcionários acabam demonstrando hesitação ao expressar verbalmente suas opiniões. Os administradores devem prever essa preocupação e discuti-la antecipadamente; por exemplo, os gestores podem partilhar algumas de suas histórias pessoais significativas, em especial sobre situações nas quais tiveram atitude ambivalente em relação ao trabalho ou ao empregador, e relatar de que maneira conseguiram superá-las.

Depois que os empregados partilharem seus sentimentos a respeito do que pode estar afetando seu engajamento, os gestores devem perguntar a eles o que especificamente pode ser feito para a melhoria de cada situação apresentada. Alguns objetivos podem ser extremamente fáceis de se alcançar – os denominados **ganhos rápidos** –, outros, no entanto, podem precisar de mais esforço ou diplomacia. Existem, ainda, aqueles que podem se mostrar irrealizáveis. Seja qual for a situação, os gestores precisam dar atenção a cada inquietude e dizer aos funcionários que farão o máximo para ajudá-los a alcançar as melhorias desejadas.

Como gestor, é importante nunca fazer promessas que você não poderá cumprir. Por exemplo, se um funcionário quer mais opções vegetarianas no restaurante da empresa nas sextas-feiras durante a Quaresma, um gestor não pode simplesmente assumir que não haverá problemas e comprometer-se com o funcinário. Entretanto, ele deverá dizer que irá empenhar-se em verificar a possibilidade de a empresa oferecer mais opções que não incluam carne, sugerindo um potencial compromisso, mais facilmente atingível, caso a opção desejada pelo funcionário não seja possível. Talvez o gestor possa ajudar a organizar um sistema de *delivery* de refeições vegetarianas para toda a empresa especificamente para essas sextas-feiras; os funcionários pagariam a refeição, enquanto a empresa arcaria com a taxa de entrega.

Apesar de problemas como esse parecerem triviais em comparação ao quadro geral, eu posso assegurar que não o são. Quando os administradores atendem às solicitações de seus empregados, estes se percebem como parte valorizada do time. Esse sentimento de "estar sendo cuidado" é devolvido aos empregadores em forma de comprometimento no trabalho.

Quinto passo – Desenvolva metas e planos de ação específicos

Já reparou como as metas que você diz que colocará em prática "algum dia" nunca se realizam? Isso acontece porque "algum dia" não é um dia da semana. Quando falhamos em cumprir uma tarefa dentro de um período estabelecido, geralmente nunca conseguimos terminá-la de fato. É nesse ponto que a maioria das empresas falha, contribuindo para que apenas 33% dos funcionários acreditem que as pesquisas possam gerar resultados.[4] Edward Young, poeta inglês do século XVIII, estava certo ao dizer: **"O adiamento é o ladrão do tempo."**

Ademais, muitas vezes, quanto mais prazo nos permitimos para terminar um trabalho, mais facilmente nos esquecemos dele ou consideramos nem mesmo fazê-lo. É por isso que acredito que o número de promessas de Ano Novo verdadeiramente realizadas é tão reduzido. Por que começar algo agora se ainda restam 365 dias para colocá-lo em prática? Ou 203 dias? Ou 57 dias? Todos esses prazos finais parecem estar tão longe no futuro que se torna fácil procrastinar o início da tarefa dia após dia. E quando chegamos próximos do dia D começamos a nos questionar se não seria melhor simplesmente desistir de vez da empreitada. Mesmo porque, já se passou tanto tempo e o mundo não desmoronou ao nosso redor. No entanto, em se tratando de engajamento de funcionários, mesmo os mínimos detalhes fazem diferença, portanto, precisamos ter um plano em mente para isso.

Quando os empregados demonstram ter muitas ideias para melhorias, a organização, automaticamente, ganha numerosas opções para a ampliação do engajamento. E para assegurar que seu foco se mantenha concentrado no que pode gerar maior impacto, os funcionários devem dar prioridade às mudanças capazes de influenciar de maneira positiva seu envolvimento. Desse modo, sugerimos que os empregadores realizem imediatamente os pedidos mais simples de seus funcionários. As ações imediatas mostram aos colaboradores de uma organização que a opinião deles é importante, que a administração os está escutando e se dedicando a providenciar melhorias.

Suas ideias somente serão boas se você agir sobre elas. A chave para se atingir metas é manter-se responsável e trabalhar sobre seus objetivos com regularidade. Grandes tarefas parecem menos assustadoras quando nos permitimos dar passos pequenos, porém frequentes, em vez de nos arriscarmos em um único salto gigante. Oriente-se para o sucesso antecipando progressos graduais. Crie uma linha do tempo e escreva sobre ela. Já foi comprovado que as pessoas que escrevem sobre as próprias metas as alcançam significativamente mais do que aquelas que não tem esse hábito. Além disso, indivíduos que partilham suas metas com outras pessoas apresentam as taxas mais altas de finalização bem-sucedida de tarefas. Isso ocorre por causa da responsabilidade assumida publicamente.[5]

As iniciativas de engajamento também são vistas como trabalho extra pelos gestores. Porém, ao contrário de assumirem essa perspectiva, os administradores deveriam incluir o engajamento em suas tarefas regulares, considerando-as como mais um esforço significativo e profundo.

Sexto passo – Siga em frente e avalie o progresso

Este é o ponto em que a maioria dos administradores e das organizações falha. É **fácil dizer** que **irá fazer alguma coisa**, mas é **muito mais trabalhoso realizá-la de fato**. Gerentes e funcionários devem manter-se responsáveis quanto a seguir com a realização dos planos e das ações previamente determinados. Os gerentes devem marcar reuniões periódicas com seus colaboradores para discutir o progresso dos projetos. Quando a data de uma reunião se aproxima, as pessoas às vezes começam a agir de modo a parecer que se esforçaram o suficiente. Elas podem planejar o dia todo, mas se esses planos nunca se tornarem realidade tangível, todo o trabalho anterior terá sido em vão.

O progresso dos planos de ação pode fazer parte da avaliação de desempenho e dos bônus dos gerentes para convencê-los da importância de tal iniciativa. Nossos clientes perceberam grande melhoria nos esforços de seus gerentes quando os supervisores destes lhes impuseram a responsabilidade pelos progressos nos planos de ação de seus subordinados diretos.

Sétimo passo – Mostre aos funcionários seus esforços em construir engajamento e uma CM

Quando realmente entendem os esforços de seu empregador e dos seus gestores para criar uma CM e que existe um um bom ambiente de trabalho, os colaboradores demonstram reciprocidade esforçando-se para assumir sua parte da responsabilidade pelo engajamento. É comum que os funcionários não valorizem alguns benefícios do local de trabalho simplesmente por não considerarem os esforços feitos por seu empregador. Quando ficam cientes apenas do resultado de novas iniciativas, como a atualização de um plano de benefícios ou uma política mais flexível de trabalho em casa, os empregados podem não refletir adequadamente a respeito da maneira com que essas mudanças aconteceram. Como resultado mostram-se menos gratos pelas diversas vantagens de que dispõem e menos apreciativos em relação ao seu empregador ou gestor. Portanto, é importante mostrar aos funcionários os grandes esforços feitos pela organização em prol deles.

Após o recebimento do *feedback* dos empregadospor meio de uma pesquisa de Engajamento de Funcionários, a pior situação que pode ocorrer é o gestor não comunicar aos seus subordinados as grandes mudanças que conseguiu realizar. O processo não se completa porque os funcionários não ficam sabendo o quanto seu superior batalhou para apoiá-los, e uma grande oportunidade de engajamento é desperdiçada.

Uma boa maneira de mostrar aos colaboradores que o *feedback* deles foi levado em consideração é colando etiquetas nas modificações que resultaram da pesquisa de Engajamento de Funcionários (ver Figura 2.2).

Figura 2.2 - *Marketing* interno de iniciativas de engajamento.

Essas imagens podem ser adicionadas a comunicados internos, como *e-mails* e memorandos, ou até em placas distribuídas pelo escritório.

Reconhecendo talentos – A história da senhorita Betty

Ela é muito mais que uma recepcionista para pacientes e visitantes do Sistema de Saúde Ochsner em Nova Orleans, no Estado de Louisiana (EUA); ela está sempre sorridente e é muito carinhosa Senhorita Betty, uma explosão de **positividade** e **entusiasmo**. O grupo hospitalar de Louisiana tomou conhecimento de sua atitude positiva e habilidade de se conectar a pacientes e seus familiares quando ela começou a trabalhar como governanta no hospital, trinta anos atrás. Ela sobressaiu naquela função por muitos anos, mas os líderes seniores acreditavam que as habilidades sociais dela poderiam ser mais bem aproveitadas. Eles especularam que a senhorita Betty poderia gerar um impacto muito maior nos pacientes e nos visitantes como recepcionista. Em 2010, eles propuseram a ela essa mudança de papel. A senhorita Betty ficou maravilhada com a ideia, especialmente porque o que ela mais gostava em seu trabalho na Ochsner é a **interação com as pessoas**.

Como recepcionista no *campus* Jefferson Highway, a senhorita Betty é o primeiro contato dos visitantes que entram no hospital vindos do estacionamento. Ela dá cor à experiência do paciente que adentra o hospital fornecendo-lhe informações detalhadas para que se locomova com facilidade pelo grande edifício. Ela aprende os nomes das pessoas e se lembra delas quando retornam, e nunca deixa de sorrir. Muitos visitantes da Ochsner param para abraçá-la durante suas idas e vindas por que ela desenvolveu com essas pessoas um relacionamento baseado em atenção. Os colegas da senhorita Betty muitas vezes ouvem visitantes comentando sobre quão maravilhosa ela é, e quão perfeita é para a posição que ocupa. Quando lhe perguntam o motivo de estar sempre de bom humor, ela responde que simplesmente **ama o que faz**. Ela acha que as pessoas são interessantes e adora conhecê-las por meio de sua função.

A diretoria da Ochsner deveria ser parabenizada por reconhecer o talento e por discernir a melhor maneira de empregá-lo. Ao outorgar à senhorita Betty o poder para realizar aquilo que melhor sabe fazer, ela se tornou uma embaixadora da excelência em serviços e uma das muitas razões pelas quais a Ochsner é um hospital de preferência.

Oitavo passo – Lidere pelo exemplo

Como empregador e/ou gestor, você precisa dar o exemplo de reconhecimento e apoio ao engajamento. Tendo em vista que o relacionamento funcional se assemelha a uma via de mão dupla, os administradores podem começar com o pé direito com os funcionários mostrando que se importam com seu engajamento. Ao se conectar aos colaboradores para entender e agir sobre suas necessidades e preferências, os gestores demonstram seu compromisso para com eles. Em consequência, os funcionários se comprometem com seu próprio engajamento. A **liderança por meio do exemplo** é a única maneira de verdadeiramente estimular um ambiente de corresponsabilidade pelo engajamento.

Os números não mentem

Os oito passos anteriormente citados são essenciais para a criação de uma CM que apoie a corresponsabilidade pelo engajamento. Os **números não mentem**: **73%** dos trabalhadores **não estão ativamente engajados hoje**. Esse é um chamado às organizações, independentemente de setor ou tamanho, para que desenvolvam estratégias permanentes de modo a criar locais de trabalho que facilitem o engajamento e buscar *feedbacks* contínuos de seus colaboradores, que possibilitem mensurar os níveis de engajamento e assim possam promover mudanças positivas.

CAPÍTULO 3

OS DEZ MELHORES PROPULSORES DO ENGAJAMENTO

"A empresa poderosa é aquela cujos indivíduos têm conhecimento, habilidade, desejo e oportunidade para progredir de modo direcionado ao sucesso organizacional coletivo."

- STEPHEN R. COVEY

Alguns gestores seniores têm dificuldade em entender a real importância de se investir no engajamento de funcionários. No mundo dos negócios, tudo se resume a números e métricas. Antes de investir, a administração quer poder mensurar o ROE:[a] ou seja, o Retorno sobre o Engajamento®. Felizmente, essa mensuração constitui mais ciência que arte.

Após décadas de estudo em gestão de talentos e do exame de milhões de questionários de profissionais, o Instituto de Pesquisa HR Solutions descobriu os dez fatores mais fortemente ligados ao engajamento de funcionários; os **propulsores-chave do engajamento**, o DNA de uma CM. Os propulsores-chave são, em ordem de importância:

1. Reconhecimento.
2. Desenvolvimento de carreira.
3. Habilidades de liderança em supervisão direta/ gerenciamento direto.
4. Estratégia e missão – em especial, a liberdade e a

a - Da sigla em inglês: *Return on Engagement*®, expressão cunhada pela empresa do autor. (N.T.)

autonomia para alcançar o êxito e contribuir para o sucesso da organização.
5. As características do trabalho – habilidade de realizar aquilo para que se tem vocação.
6. Relacionamento da administração sênior com os funcionários.
7. Comunicação aberta e eficaz.
8. Cooperação/satisfação do colega de trabalho – a grande responsável pela retenção de funcionários.
9. Disponibilidade de recursos para desempenho efetivo da função.
10. Cultura organizacional e valores essenciais/compartilhados – diversidade de conhecimentos e inclusão, responsabilidade social corporativa, equilíbrio trabalho/vida, flexibilidades do local de trabalho etc.

Por meio de uma análise de correlação de Pearson descobrimos que esses propulsores-chave geram os melhores impactos sobre os níveis de engajamento de funcionários. A correlação é representada por **r** e é calculada por meio da divisão da covariação de duas variáveis pelo produto de seus desvios-padrão.

Utilizamos $\mathbf{R}^2$ (coeficiente de determinação) para representar o grau em que os itens podem ser usados para explicar as taxas de engajamento de funcionários. Estatisticamente, os valores representam a alteração em $\mathbf{R}^2$ ou uma medida da quantidade que cada propulsor-chave soma à variação do engajamento de funcionários. Em resumo, isso significa que mensuramos de que maneira os propulsores de engajamento desenvolvem-se uns sobre os outros. Nosso instituto descobriu que esses dez propulsores-chave respondem por **84%** da variação no modelo de correlação ($\mathbf{R}^2$ = 84%), o que significa que 84% do engajamento podem ser conferidos a esses dez atributos.[1] Concentrar esforço para mudança de atitude sobre esses itens cria melhor influência sobre o engajamento de funcionários.

Propulsor-chave 1– Reconhecimento

"Bom trabalho!", "Excelente!", "Muito bem!", "A+!"

Muitas pessoas se lembram de ter visto esses comentários encorajadores escritos em seus trabalhos e provas escolares. As palavras, a caneta vermelha, acompanhadas de adesivos coloridos ou carimbos com carinhas felizes e estrelinhas pareciam levar certa alegria àquele momento corriqueiro do dia. Os professores fazem esses comentários para construir a autoestima de seus alunos e para mostrar a eles que seu esforço e persistência nas tarefas foram reconhecidos e apreciados. Em resposta, as crianças levam essas palavras ao coração, absorvendo o elogio e divertindo-se com um sentimento de realização.

A necessidade individual de uma pessoa em se sentir reconhecida não muda muito conforme ela cresce. Alguns acham surpreendente que o reconhecimento sobrepuje muitos outros fatores motivacionais importantes como treinamento adequado, relacionamento com colegas de serviço, ambiente físico de trabalho e desenvolvimento de carreira. O mais extraordinário é o fato de que os sentimentos de um colaborador a respeito do reconhecimento que recebe é responsável por **56%** de variação em seu **nível de engajamento**. Esses resultados esclarecem que, mesmo adultas, as pessoas querem sentir-se estimadas por um trabalho benfeito.

Para Dan Pink, especialista em motivação e autor *best-seller*, nossas descobertas resumem-se ao desejo por *feedback* sobre nosso desempenho no trabalho. "Grande parte da vida das pessoas está repleta de *feedback*, mas o ambiente de trabalho é um deserto nesse sentido," diz ele.[2]

Concordo plenamente. Às vezes os gestores têm a impressão de que seus funcionários pensam que é "melhor quando não há notícias," mas isso certamente não é verdade. Em geral, as pessoas procuram fazer um bom trabalho; e, quando o fazem, gostam de ser reconhecidas.

A psicologia do reconhecimento

Abraham Maslow (1908-1970) foi um psicólogo influente que identificou os diferentes níveis de necessidades básicas humanas e fundou a **psicologia humanista**. Maslow acreditava que todas as pessoas sentiam o forte desejo de alcançar seu completo potencial: a **"autorrealização"**. Para chegar a esse grau de satisfação, mostrado no topo do triângulo da Figura 3.1, a pessoa precisa construir solidamente cada um dos níveis de sua hierarquia de necessidades; um deles é o da **estima**, que inclui a autoestima, o autorrespeito e o respeito por parte dos outros.

A necessidade por estima deve ser atendida no ambiente de trabalho para que o engajamento aconteça. Caso contrário, a pessoa pode se tornar frustrada e sentir-se inferior, fraca, impotente e, até mesmo, inútil.

Figura 3.1 - A hierarquia de necessidades de Maslow

A hierarquia de necessidades de Maslow

Autorrealização (realização e alcance de potencial completo)

Estima (autoestima, respeito dos outros, autorrespeito, reconhecimento, independência, autoconfiança)

Amor e pertencimento (amizade, intimidade, família)

Segurança (segurança pessoal, segurança financeira, saúde e bem-estar, proteção)

Necessidades fisiológicas (ar, água, alimento, vestuário, abrigo, sexo)

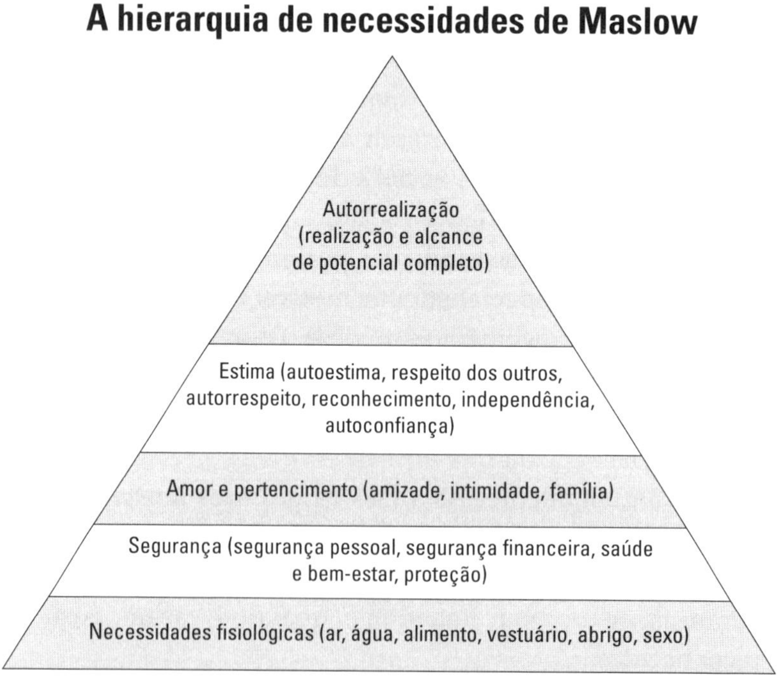

Utilizar o reconhecimento como um propulsor de engajamento parece algo muito simples, mas pesquisas mostram que as tentativas de muitas organizações nesse sentido não deram certo. Apenas 59% dos trabalhadores relatam que seu supervisor os informa quando realizam um bom trabalho,[3] revelando que muitos funcionários não sentem que seus gestores reconhecem seus feitos. Claro, mais de 59% dos administradores apreciam quando seus subordinados realizam um bom trabalho, então, deve existir alguma falha no processo de **demonstração** do reconhecimento.

Os gestores devem considerar a percepção de seus colaboradores com relação ao **recebimento** de reconhecimento, e de que maneira ela pode diferir do seu próprio modo de **oferecê-lo.** Apesar de muitos administradores acharem que frequentemente demonstram reconhecimento por seus funcionários, estes podem não sentir-se prezados. Numerosos estudos mostraram que indivíduos da geração Y[b] apreciam ser valorizados muitas vezes ao dia. Para alguns funcionários mais antigos, tal reforço positivo pode parecer uma expectativa indulgente e irrealista. Apesar de essa crença ter sido considerada verdadeira anos atrás, a cultura norte-americana mudou dramaticamente ao longo do tempo, fazendo com que os padrões sociais da força de trabalho também se alterassem. Por exemplo, atualmente, é comum a muitas escolas de ensino fundamental premiar todos os alunos que participam, digamos, de um festival de Judô em reconhecimento por sua participação no evento, independentemente de vencerem ou serem vencidos no tatame. Para atrair e engajar essa nova geração, as tentativas de reconhecimento nas empresas devem acompanhar seu ritmo.

Não obstante a valorização dos funcionários possa parecer algo simples para a maioria das pessoas, é preciso ter boa estrutura e planejamento para desenvolver um bom programa de reconhecimento. É ótimo dizer às pessoas que elas fizeram um bom

b - Também chamados "milenianos"; termo sociológico que se refere às pessoas nascidas, segundo alguns autores, entre 1981 e 2000, antecedidas pelos indivíduos da geração X, nascidos entre 1965 e 1980, e sucedidos pela geração Internet, ou geração Z, que compreende os nascidos a partir de 2001. (N.T.)

trabalho; porém, é muito importante enaltecê-las **pelo que** fizeram e prestar atenção à **maneira** e à **frequência** com que são reconhecidas. A criação de um programa que cuide apropriadamente de todos esses aspectos pode ser um desafio, mas, com certeza, vale seu tempo e os recursos investidos. Ainda que não precisem mais de adesivos com carinhas felizes colados em suas tarefas, os funcionários de uma empresa necessitam que seu trabalho benfeito seja reconhecido.[4]

Propulsor-chave 2 – Desenvolvimento de carreira

> *"Nesse momento isso é um emprego. Se eu progredir um pouco mais, ele pode se tornar minha carreira. E, se isso se tornar minha carreira, terei de me atirar na frente de um trem."*
>
> - JIM HALPERT, DO SERIADO *THE OFFICE*

As oportunidades de desenvolvimento de carreira são parte essencial do engajamento de funcionários. Quando uma pessoa não é atendida em seu desejo de crescimento profissional, ela começa a procurar trabalho em outro lugar. As oportunidades de ascensão na escalada profissional surgem de acordo com a disponibilidade de posições – e esperar pela morte ou aposentadoria de alguém a fim de galgar melhores cargos é ainda a triste realidade de muita gente. Quando as promoções se assemelham a uma fila de espera para os colaboradores, a organização corre o risco de enfrentar rotatividade de pessoal.

As hierarquias organizacionais estão mudando continuamente de **estruturas piramidais** para **estruturas horizontalizadas.** Há vinte e nove anos, quando eu adentrava o mercado de trabalho, os organogramas mais comuns mostravam poucas pessoas no topo, e, em suas ramificações descendentes, o número de gerentes aumentava até o nível de mínimo comando. Parecia haver sempre alguma pessoa gerenciando alguém. Recentemente, a tendência tem se tornado eliminar as posições intermediárias de gerenciamento de modo a criar uma estrutura com menos gestores. De fato, a média de posições intermediárias na hierarquia das empresas diminuiu em 25% de 1986 a 2006.[5] O que antes era denominado escada corporativa hoje se chama **treliça corporativa**, uma estrutura que oferece mais oportunidades para que os funcionários cresçam movendo-se lateralmente (veja a Figura 3.2).

Uma estrutura organizacional horizontalizada tem suas vantagens e desvantagens. Apesar de os processos da empresa se beneficiarem dessa disposição, torna-se muito importante examinar de que maneira essa mudança afeta os funcionários. Ter menos gerentes pode ser bom para a **autonomia** e a **liberdade** dos empregados. Além disso, a redução na quantidade de aprovações gerenciais agiliza o fluxo de trabalho e os processos de tomada de decisão.

Figura 3.2 - A estrutura corporativa

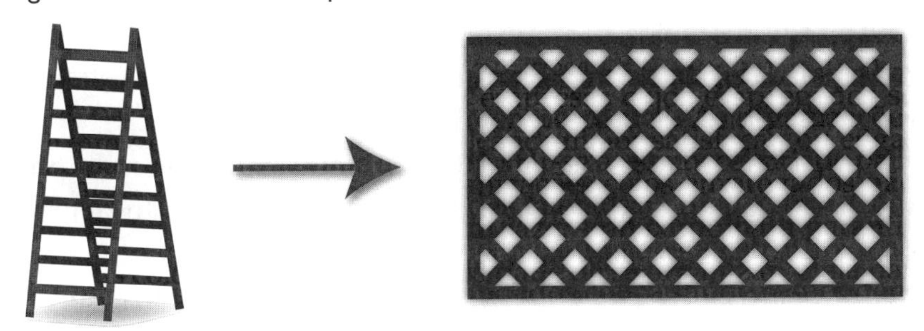

Entretanto, os colaboradores podem considerar que uma estrutura horizontalizada oferece oportunidades limitadas ao seu avanço profissional.

Os funcionários encaram a não necessidade de gerenciamento de outros indivíduos como um limitador à sua carreira. Como o organograma em muitas empresas ainda é baseado na estrutura em triângulo (ou pirâmide), a experiência em gestão de pessoas continua representando uma habilidade profissional essencial a algumas funções. Sem ter como adquirir prática nessa área, os funcionários podem sentir-se podados e, ao mesmo tempo, escolher deixar a empresa. Afinal, se duas pessoas possuem as mesmas qualificações profissionais, mas uma delas detém experiência também em gestão de pessoas, esta certamente apresentará um diferencial vantajoso a seu favor no mercado de trabalho. As organizações que se utilizam da **estrutura horizontalizada** geralmente não fornecem essa vantagem aos seus colaboradores nem percebem o quanto essa carência pode restringir seu engajamento.

Porém, felizmente existem maneiras de se contornar essa situação por meio do oferecimento de oportunidades de gerenciamento (e, de modo subsequente, chances de desenvolvimento de carreira) em uma estrutura horizontalizada. Hoje, muitas empresas oferecem a seus colaboradores financiamento para que ampliem seus estudos em sua área de atuação. De acordo com uma pesquisa conduzida pela HR Solutions, apenas 6% das empresas não oferecem oportunidades de ascensão educacional. Quase metade dos respondentes informou que a empresa em que trabalham lhes oferece uma multiplicidade de meios para absorção de conhecimento, incluindo treinamentos/*mentoring*, certificações, educação continuada e reembolso de despesas educacionais.[6]

Os administradores devem encorajar seus empregados a aproveitar plenamente toda e qualquer oportunidade educacional oferecida pela companhia. A aquisição de novos conhecimentos permite que os funcionários se mantenham atualizados em seu campo de atuação, além de lhes prover as ferramentas de que precisam para realizar um bom trabalho. Ademais, ao fazer uso dos programas oferecidos pela empresa, como o *mentoring*, os colaboradores recebem orientação a respeito do melhor caminho a tomar em relação a sua carreira, bem como sobre o tipo de conhecimento de que irão necessitar para alcançar seu objetivo profissional.

Em se tratando de reciclagem educacional, a alta administração precisa perceber que ao ajudar seus empregados a crescer estará investindo no crescimento da própria organização. O engajamento a esses tipos de programas traz benefícios para todas as partes envolvidas.

Propulsor-chave 3 – Habilidades de liderança em supervisão direta/gerenciamento direto

"Gerenciar é fazer a coisa de maneira correta; liderar é fazer a coisa certa."
- Peter Drucker

"As pessoas não deixam seus empregos, elas deixam seus gerentes." Apesar dessa máxima não expressar totalmente a verdade, existe um ponto bastante válido nesse conceito. Os funcionários recebem mais instrução, orientação, apoio e reconhecimento de seus supervisores diretos que de qualquer outra pessoa. Ou, pelo menos, assim deveria ser.

As habilidades de liderança em supervisão direta ou gerenciamento direto configuram o propulsor-chave de maior impacto, uma vez que os de número 1 e 2, **reconhecimento** e **desenvolvimento de carreira**, respectivamente, em essência, **partem do gestor** por meio de avaliações verbais e da iniciação de importantes diálogos baseados em planos de carreira. Portanto, quando os gestores não fazem um bom trabalho, os propulsores 1 e 2 também são prejudicados.

Os supervisores têm papel vital no reconhecimento de seus subordinados. São eles os responsáveis por fazer como que esse propulsor-chave trabalhe a seu favor ou desfavor. Quando se sentem reconhecidos no emprego, os funcionários apresentam chances estatisticamente mais elevadas de se tornarem engajados, o que se traduz em trabalho árduo e na elevada qualidade dos serviços. Esse desempenho de alta qualidade se reflete de maneira positiva sobre os gestores, o que, por sua vez, demonstra que seu time é produtivo e que tudo funciona tranquilamente. Portanto, mesmo os supervisores mais teimosos conseguem perceber o valor de se oferecer reconhecimento significativo, já que essa atitude está indiretamente ligada à receita mediante o engajamento.

A preocupação relacionada ao desenvolvimento de carreira também recai sobre o supervisor direto. É de suma importância que os gestores conheçam bem seus subordinados diretos de modo que possam ajudá-los a alcançar os cargos adequados dentro da empresa. Os gestores devem distinguir qual a tendência natural de cada funcionário em termos de habilidades e, então, descobrir se essas qualidades correspondem a algo de que os próprios colaboradores gostem. Nem sempre as pessoas conseguem julgar as próprias qualidades e perceber em que áreas podem fazer progressos, nesse sentido, os gestores gozam de posição privilegiada para fornecer conselhos e sugestões para o crescimento profissional de seus funcionários. Ademais, ao conversar sobre "Plano de Carreira" com cada colaborador, a equipe estará **ciente** de que seu gestor está disponível no que se refere a crescimento profissional.

Porém, é importante enfatizar que o fato de um indivíduo dispor de um talento natural não significa que ele goste de utilizá-lo. Quando forçadas a realizar um serviço de que não gostam simplesmente porque o fazem com excelência, as pessoas acabam demonstrando baixo rendimento simplesmente por estarem desengajadas e, por fim, podem deixar o emprego. Os melhores resultados em gestão de talentos se dão quando paixão e *expertise* (perícia) estão alinhados – e os gestores têm o poder para criar essa simbiose. Posto que os gestores são os profissionais responsáveis por saber o que é melhor para a organização e para seus empregados, cabe a eles ajudar a encontrar o equilíbrio correto entre a valorização dos funcionários pela empresa e a valorização da companhia por seus colaboradores.

Gerenciamento *versus* liderança

Para ser um bom gestor é essencial ser também um bom líder! O gerenciamento e a liderança são muito diferentes entre si, e as qualidades de personalidade associadas a cada uma dessas ações nem sempre brotam ao mesmo tempo e de maneira fácil em uma pessoa. É necessário trabalho duro e empenho verdadeiro para se criar um ambiente organizado e produtivo ao mesmo tempo em que se inspira os outros a dar o melhor de si.

O gerenciamento permite:

- manter a organização nas suas atividades diárias;
- coordenar os processos empresariais;
- solucionar problemas;
- realizar planejamento estratégico;
- responder a questões diárias;
- trabalhar dentro de uma estrutura;
- manter a estabilidade da empresa;
- pensar de maneira lógica;
- agir de maneira pragmática.

A liderança exige que se:

- forneça visão e inspiração;
- mostrem novas ideias;
- construam relacionamentos pessoais significativos;
- desenvolvam novas estratégias;
- inove;
- promovam mudanças;
- prospecte o futuro;
- mexa com as emoções das pessoas;
- tenha um ponto de vista idealista;
- questionem processos em andamento.

Em essência, é **mais fácil mensurar** o **empenho relativo** ao **gerenciamento** do que à **liderança**. Como o gerenciamento é mais direto, os supervisores podem prender-se demasiadamente às tarefas desse campo de atuação ao mesmo tempo em que abandonam suas capacidades relativas à liderança. Além da supervisão aos seus subordinados diretos, as múltiplas responsabilidades inerentes ao gestor podem fazê-lo desviar-se do desenvolvimento de suas características de liderança, tão importantes para o gerenciamento eficaz dos funcionários. Essa situação pode ser muito nociva ao engajamento dos subordinados diretos. Tendo em vista que as habilidades de liderança de um supervisor têm papel importante no engajamento de outros profissionais, os gestores devem considerar o fato de tornarem-se bons líderes como uma de suas prioridades máximas.

Sendo assim, os supervisores que demonstram fortes qualidades de liderança inspiram o entusiasmo em seus funcionários e faz com que estes alcancem o patamar seguinte. Ao contrário, gestores que dispõem de características frágeis como líderes fazem seus subordinados sentir-se desamparados perante a organização. Desse modo, os supervisores que somente comparecem ao trabalho não podem esperar ou exigir muito de seus colaboradores.

Os líderes mais magnéticos que já habitaram este mundo foram/são pessoas que colocaram seus interesses pessoais aquém das necessidades dos outros: por exemplo Mahatma Gandhi, madre Teresa, Lech Walesa e Nelson Mandela. O comportamento altruísta desses indivíduos criou/cria um magnetismo que costuma atrair as pessoas e rapidamente mobilizá-las em favor das causas por eles defendidas. E, apesar de a maioria de nós ter dificuldade em se comparar a líderes tão inspiradores ainda podemos aprender com suas atitudes: coloque os interesses do seu próximo antes dos seus e você estará trilhando o caminho correto para tornar-se um bom líder.

Reforçando a confiança dos funcionários

Os gestores se beneficiam diretamente quando proporcionam o aumento da confiança de seus funcionários por meio de um processo de comunicação e orientação aberto e amigável. Quando não se sentem seguros o suficiente para tirar dúvidas básicas com seu supervisor, os colaboradores se tornam mal informados a respeito de suas próprias tarefas, o que gera erros, variações na realização de procedimentos da companhia e diminuição na produtividade. Os funcionários que consideram seus supervisores inacessíveis e/ou inibidores demonstram-se menos felizes em responder a eles e mais insatisfeitos com sua própria função.

O fato é que 70% dos empregados de todos os setores relatam que seus supervisores os fazem sentir valorizados e parte importante da equipe.[7] Ao retomarmos a pirâmide de Maslow (Figura 3.1), verificamos que o **pertencimento** compreende seu terceiro nível – pertencimento e amor – na hierarquia das necessidades básicas ao ser humano. De acordo com a maneira como se relacionam com seus subordinados diretos, os supervisores geram verdadeiro impacto sobre tal necessidade. Embora alguns indivíduos ridicularizarem a importância da estratégia de liderança centrada em pessoas, pela crença de que adultos não precisam ser mimados no ambiente profissional, ao fazê-lo, eles estarão perdendo uma grande oportunidade de explorar um elemento-chave para a formação de um líder eficaz: a conexão com outras pessoas.

Propulsor-chave 4 – Estratégia e missão – em especial, a liberdade e a autonomia para alcançar o êxito e contribuir para o sucesso da organização

"Estes são meus princípios. Se você não gostar deles, tenho outros."

- Groucho Marx

Todos querem ter um **propósito na vida.** As pessoas dispõem de um desejo inato de realizar coisas que, por fim, as levarão ao resultado final desejado.

As metas podem variar bastante, indo desde ganhar o prêmio Nobel da Paz a simplesmente levar uma vida tranquila e feliz. Todavia, sejam elas quais forem, sempre criamos estratégias sobre nossas ações para conseguirmos alcançá-la(s). Conforme vivemos, esforçamo-nos por encontrar sentido para as atitudes que tomamos; tanto para as de grande porte quanto para as de pequena escala:

- Estudamos porque acreditamos que isso irá nos conduzir a um bom emprego, à felicidade e à estabilidade financeira.
- Apresentamo-nos bem quando estamos à procura de alguém porque queremos encontrar o amor.
- Preocupamo-nos com nossa saúde para podermos gozar de longevidade e qualidade de vida melhor.
- Cuidamos de nosso lar para que este se mantenha prazeroso e confortável.

Todas essas ações implicam em um número extra de decisões e em muito empenho, mas, mesmo assim, nós tentamos realizá-las com boa vontade porque desejamos alcançar os resultados. Nesse sentido, nossas metas modelam nossas ações. E, embora os resultados finais desejados possam variar muito de pessoa para pessoa, é certo dizer que, na maioria das vezes, ninguém gosta de fazer algo dissociado de uma razão. Se **não encontramos significado** naquilo em que investimos tempo, provavelmente **paramos de fazê-lo**!

Se você tem filhos, sabe exatamente do que estou falando. Já perdi a conta de quantas vezes pedi a minhas filhas que fizessem algo e elas responderam com uma única pergunta: "Por quê?" Mas, apesar, de algumas vezes eu ter vontade de responder a elas com a popular e alusiva frase "Porque eu mandei", eu aprecio a natureza inquisitiva das jovens. A resposta delas ilustra perfeitamente o modo natural com que as pessoas questionam o propósito de suas ações.

A situação não é diferente no trabalho. Quando se pede aos funcionários que realizem uma tarefa cujo valor para a organização eles não percebem, torna-se muito mais difícil para eles quererem efetuá-la. Ademais, eles não irão se empenhar tanto ou dar tanta atenção ao projeto porque não o veem, ou não o entendem, como algo importante. Por esse motivo é essencial que os gestores comuniquem a importância de cada papel dentro da organização, e das funções associadas a cada cargo.

Um departamento que quase sempre sofre em relação ao próprio envolvimento com a estratégia e a missão da empresa é o de **serviços gerais**, mais conhecido por **equipe de limpeza**. Esses são os trabalhadores "invisíveis" que parecem mesclar-se à paisagem, seja qual for o cenário. Muitas pessoas veem os mesmos trabalhadores da equipe de limpeza todos os dias no escritório, mas nunca os cumprimentam, ou, quando o fazem, geralmente o máximo que sabem a seu respeito é o nome deles, se tanto.

Como você se sentiria caso fosse um funcionário da equipe de limpeza e todos os seus colegas o ignorassem? Você se sentiria parte da empresa, conectado à sua estratégia e missão geral? **É bem provável que não**! Este é um problema comum inerente à gestão de talentos, e nós descobrimos que o setor de serviços gerais da maioria das empresas apresenta percepções consideravelmente piores em relação ao propulsor-chave de estratégia e missão que quaisquer outros departamentos.

Ao vincularmos a importância dos serviços gerais ao sucesso geral da companhia conseguimos ajudar nossos clientes a melhorar esse aspecto de sua gestão de talentos. Como citamos no Capítulo 1, um hospital é o exemplo perfeito de como o estabelecimento da higiene pode realmente fazer a diferença entre a vida e a morte. Entretanto, dos mais de mil hospitais onde realizamos consultoria, apenas um punhado de gestores responsáveis pelo departamento de Serviços Gerais nessas empresas se interessaram em explicar pacientemente a seus funcionários o significado profundo de se alcançar resultados excepcionais nesses serviços.

Quando os administradores instruem seus empregados sobre o impacto que o trabalho deles gera sobre cada paciente que entra pela porta, bem como de que maneira a ação de cada um deles possibilita o funcionamento geral da empresa, o engajamento dos funcionários indubitavelmente melhora. Aliás, os colaboradores da equipe de serviços gerais podem sentir-se muito mais orgulhosos em relação ao próprio trabalho quando entendem a importância de sua função. Uma das melhores práticas que sugerimos para esse caso é o desenvolvimento de um *slogan* que resuma a magnitude de suas funções: "Nosso trabalho não se resume a limpar o chão e os equipamentos. Nós salvamos vidas."

Esse *slogan* pode ser impresso em *botons*, pôsteres e até mesmo diretamente nos suprimentos e ferramentas de trabalho, como em cabos de vassouras. A utilização de lembretes visuais que fazem referência à conexão existente entre o departamento e o sucesso geral da organização é uma maneira simples de lembrar os funcionários de sua importância para a empresa.

Além da necessidade de fazer com que os funcionários entendam porque suas tarefas individuais são providenciais ao plano geral, é essencial que eles compreendam o que, exatamente, implica esse grande cenário. A liderança sênior da companhia deve, além de desenvolver essa visão, comunicá-la **de maneira eficaz** à equipe. Somente **64%** dos trabalhadores sentem que os membros de sua equipe na empresa em que trabalham entendem sua estratégia e missão. Ao mesmo tempo, **69%** dos funcionários acreditam que a empresa em que atuam possibilita que eles contribuam diretamente para o sucesso da organização.[8] Considerando que o desejo por contribuir para o sucesso da organização faz parte de um importantíssimo **propulsor de engajamento**, relacionado à estratégia e à missão da companhia, fica claro que os colaboradores precisam ter bom entendimento do significado de ambos. Quando essas ideias são claramente definidas, os trabalhadores conseguem se alinhar aos ideais da empresa.

Estudo de caso – A fórmula vencedora

A alta administração geralmente enfrenta dificuldades para conectar seus colaboradores à estratégia e missão da companhia. Os funcionários, em geral, não entendem o cerne da missão e não percebem de que maneira seu trabalho diário agrega valor à empresa.

Frits van Paasschen, CEO (*chief executive officer* ou executivo principal) da Starwood Hotels and Resorts Worldwide,[c] uma das maiores corporações no mundo ligada à hospitalidade, entende os

---

c - No Brasil, a Starwood é a proprietária da marca Sheraton Hotels and Resorts. (N.T.)

desafios de se conectar os empregados à **estratégia** e **missão da empresa**. Para realmente alcançar os funcionários **"é preciso estabelecer uma conexão emocional entre eles e a empresa"**, diz van Paasschen.[9] É mediante esse vínculo que os colaboradores passam a realmente se preocupar com a organização e com o sucesso dela.

Antes de se juntar ao time da Starwood, van Paasschen foi o CEO da Coors Brewing Company (atual MillerCoors LLC).[d] Na Coors, para motivar os empregados, van Paasschen usava o *slogan*: "A fórmula vencedora." Por meio dessa marca, os colaboradores percebiam que sua contribuição estava diretamente ligada ao sucesso geral da missão da companhia e que eles próprios faziam parte da abrangente estratégia da Coors. Os funcionários da Coors sentiam realmente constituir "a fórmula vencedora", o que se traduzia nos grandes resultados que produziam.

Para fortalecer ainda mais o vínculo dos empregados para com a marca e com os valores da empresa, o time de van Paasschen contratou candidatos com afinidade natural por cerveja e que gostavam do produto. Eles sentiram uma conexão pessoal com a organização e, portanto, empenharam-se ainda mais para assegurar os melhores resultados possíveis para a empresa. Esse liame à Coors e aos seus produtos representou o toque magnético que levou os funcionários para dentro da empresa. Para criar uma CM verdadeira, o time de van Paasschen ampliou essa conexão ajudando os colaboradores a perceber que eles genuinamente se preocupavam com a empresa e com o sucesso dela.

Estudo de caso – AtlantiCare

A AtlantiCare, respeitável rede de hospitais e unidades de saúde do sudeste de Nova Jersey, é uma das organizações que prioriza a comunicação de sua estratégia e missão. Com 65 unidades e aproximadamente 5 mil funcionários, a AtlantiCare é a maior provedora de assistência à saúde de sua região, e conquistou o

---

d - Indústria de bebidas responsável pela produção de várias marcas de cerveja. (N.T.)

Prêmio Nacional de Qualidade Malcolm Baldrige (MBNQA, na sigla em inglês).

Ao conduzirem uma pesquisa de engajamento de funcionários, os executivos da AtlantiCare descobriram que seus colaboradores desejavam sentir-se mais conectados para o próprio bem da organização. Muitos empregados se envolveram no setor de cuidados com a saúde porque queriam ter a oportunidade de ajudar outras pessoas, e juntaram-se à AtlantiCare porque desejavam fazer parte de uma organização conhecida por seu impacto positivo sobre a comunidade.

Apesar de acreditarem que a AtlantiCare estava no caminho certo, os funcionários queriam entender melhor de que maneira a empresa pretendia chegar lá e o que eles, pessoalmente, poderiam fazer para ajudá-la nessa empreitada. Essa curiosa noção disparou a ideia para o desenvolvimento do **"Mapa Estratégico AtlantiCare"**, que foi cuidadosamente inserido no crachá de cada colaborador. Esse pequeno pedaço de papel contém grandes metas individuais para cada funcionário, que abrangem toda a organização. O mapa estratégico contém a lista das cinco áreas para as quais os colaboradores se comprometem a alcançar excelência na AtlantiCare. Essas áreas são: **profissionais** e **local de trabalho**, **serviços ao consumidor**, **qualidade**, **desempenho financeiro** e **crescimento**.

Todo ano a AtlantiCare cria metas para cada uma dessas cinco áreas. Os departamentos realizam *brainstorms* ("tempestades de ideias") para descobrir de que maneira podem contribuir com os objetivos da empresa e criam suas próprias metas departamentais para promover o bem maior da empresa. Os trabalhadores são solicitados a criar metas individuais que se agreguem ao plano geral da companhia. Rick Lovering, vice-presidente de Recursos Humanos e de Desenvolvimento Corporativo da empresa, revela que os mapas estratégicos ajudam a conectar todos os 5 mil colaboradores à estratégia e missão da AtlantiCare. Ele acredita que o programa reforça a percepção de que todos são igualmente importantes para o alcance dos objetivos da organização. Lovering diz que pode perguntar a qualquer pessoa da empresa em que ela está trabalhando, que ela será capaz de descrever suas metas e de que maneira a conquista destas está ligada à estratégia e missão da AtlantiCare. A empresa testemunhou recente elevação em seu grau de engajamento, e o envolvimento de seus funcionários para com a estratégia e a missão da companhia proporcionou a ela significativo impacto.[10]

Propulsor-chave 5 – As características das funções – habilidade de realizar aquilo para que se tem vocação

> *"A qualidade de vida de uma pessoa é diretamente proporcional ao seu compromisso para com a excelência, independentemente de sua área de atuação."*
>
> - Vince Lombardi

Vamos falar agora a respeito de **o que, de fato, as pessoas fazem** durante seu dia de trabalho. Você pode estar surpreso por este item não ter prioridade ainda mais elevada entre os propulsores-chave de engajamento, tendo em vista que o trabalho de um profissional se resume às suas tarefas diárias, não é mesmo? Não exatamente. Se 100% do nível de engajamento dos funcionários se baseasse exclusivamente naquilo que realizam a cada dia, haveria muito mais pessoas desengajadas no mundo. Isso pode parecer desencorajador, mas existe uma enormidade de tarefas e obrigações nesse mundo que, de fato, não são agradáveis, mas são essenciais para se manter os negócios em funcionamento adequado e as características produtivas e funcionais da sociedade.

Por exemplo, pense no trabalho dos garis, responsáveis por retirar o lixo das ruas da cidade. Você já deve ter visto esses trabalhadores carregando grandes vassouras e empurrando lixeiras com rodinhas. Apesar de as tarefas referentes a esse emprego integrarem o dia de trabalho normal de alguns profissionais, trata-se de um serviço que geralmente também é indicado como punição a pessoas que infringem a lei. Essa tarefa é considerada tão desagradável que forçamos os infratores a sofrer por meio dela de modo a lhes ensinarmos uma lição. Sendo assim, à parte daqueles que cumprem pena por uma transgressão, como você acha que os garis se sentem a respeito das características do trabalho que realizam? Nós quisemos saber, então conversamos com um profissional do setor de gestão em saneamento básico.

Estudo de caso – Serviço de saneamento básico

Susan Young, que ao longo de vinte anos ocupou o cargo de diretora do departamento de Reciclagem e Descarte de Resíduos Sólidos da cidade de Minneapolis, no Estado de Minnesota (EUA), sempre se vangloriou do fato de sua cidade ser classificada como a **quinta mais limpa do mundo** durante sua administração. Durante sua gestão, Young supervisionava 158 colaboradores diretos, bem como uma ampla base de trabalhadores temporários. Na época em que exercia o cargo ela comentou que seus funcionários se engajavam por várias razões: "As expectativas aqui são muito claras: cidade limpa significa trabalho realizado."[11]

Os membros da equipe de Young apreciavam a estabilidade de um setor que sempre seria necessário. No entanto, Young afirmou em certa ocasião que "esses funcionários fazem por merecer o próprio emprego todos os dias, uma vez que Minneapolis é uma das únicas cidades de Minnesota que não terceiriza seus serviços de gestão de resíduos. Enquanto continuarem fornecendo um serviço rentável à cidade, seu trabalho não será substituído por uma empresa terceirizada. A estabilidade no emprego é um fator importante para a retenção de funcionários, e eles trabalham arduamente porque sentem seu destino nas próprias mãos."

Muitos dos colaboradores de Young eram trabalhadores avulsos que gostavam de estar em uma área na qual não estavam sendo vigiados o tempo todo. Os funcionários tinham autonomia para realizar suas tarefas e voltar para casa quando as terminavam.

Essa liberdade incentivava os colaboradores a trabalhar duro para terminar seu turno cedo a fim de dispor de um **equilíbrio trabalho/vida** mais positivo.

Os funcionários eram motivados por seu papel de transformar Minneapolis em um ótimo lugar para se viver. Eles percebiam a diferença que seu trabalho produzia, o que evocava neles um sentimento de orgulho sobre o que faziam. Em sua época, Young também apreciava motivar sua equipe com recompensas em dinheiro, mas contava com poucos recursos para isso. Nesse sentido, no evento anual dos empregados, ela costumava sortear entre eles um pequeno prêmio em dinheiro de seu próprio bolso. Eram elegíveis a ele os trabalhadores que **não tivessem faltado ao serviço mais de dois dias no ano**. Ela acreditava que essa era uma boa maneira de recompensar seus funcionários mais dedicados e de mostrar que ela se preocupava pessoalmente com eles como indivíduos. Os trabalhadores realmente valorizavam o trabalho que efetuavam para a cidade de Minneapolis, e alguns deles já estavam trabalhando no do departamento havia trinta anos. De fato, o departamento de Reciclagem e Descarte de Resíduos Sólidos está sempre contratando, e, somente em 2011, mais de trezentas pessoas se candidataram às suas vagas.

A flexibilidade das características das funções

Muitos funcionários não se sentem no direito de abrir a boca em seu favor quando o assunto em questão trata das características da função que ocupam, ou seja, do serviço que fazem. Tendo em vista que frequentemente as tarefas simplesmente precisam ser feitas, muitas vezes, remover as desinteressantes ou desagradáveis – ou as que dificultam o engajamento – não é uma opção. Com isso em mente, é raro que os funcionários falem sobre suas preferências a respeito das características do trabalho que executam. Muitas pessoas se mantêm na mesma função durante meses, ou até mesmo anos, tendo seu engajamento prejudicado somente pelas características da própria função. Contudo, em vez de expressarem seus sentimentos em busca de alguma mudança positiva, esses colaboradores assumem que a melhor saída é simplesmente encontrar uma nova posição, mais gratificante, um outro emprego ou, até mesmo, mudar para um ramo diferente de trabalho.

Do ponto de vista da gestão, essa falta de diálogo cria um problema sério. Sem saber que seu funcionário está infeliz por causa das características de sua função, o gestor não tem a oportunidade de tentar melhorar a situação antes que seja tarde demais. Muitas vezes, a primeira vez que os gestores tomam conhecimento sobre o desprazer de um empregado a respeito do próprio trabalho acontece quando são surpreendidos pelo pedido de demissão.

Embora cada organização seja diferente, sempre deve existir margem para ajustes nas características das funções de modo que os funcionários sintam mais prazer no trabalho que realizam. Por exemplo, o departamento de *marketing* da HR Solutions trabalha em uma grande variedade de projetos e tarefas. Todos os membros da equipe gravitam em torno de diferentes tipos de projetos. Temos uma profissional que realmente ama *design* gráfico e é um gênio quando se trata de programas dessa natureza. Ela tem olhos de lince para a concepção de peças de *marketing*. Outro colaborador é o nosso guru das comunicações.

Ele conhece todas as publicações do setor, tem contatos com a imprensa e adora elaborar histórias e discorrer sobre características de produtos. Outro membro da equipe é o nosso especialista em mídias sociais. Ele gerencia todas as nossas contas de mídia social e faz conexões que conduzem a relacionamentos significativos. Outra funcionária ama escrever e editar. Ela cria conteúdo para peças de *marketing* e artigos e gerencia a comunicação escrita da equipe.

O interessante é que esses papéis foram definidos **depois** do processo de contratação de todos eles. Quando começaram a trabalhar na HR Solutions todos partilhavam as mesmas tarefas, que foram divididas igualmente entre eles. Após algum tempo, cada um se reuniu individualmente com a gestora do departamento, Ashley Nuese, para relatar como se sentia em relação à própria função. Ela perguntou a cada um o que especificamente mais gostavam sobre seu trabalho e a que tarefa gostariam de se dedicar por mais tempo se lhes fosse dada tal opção. Tornou-se claro para ela que todos apreciavam e se destacavam em atividades diferentes. E, apesar disso poder ser considerado um golpe de sorte, também é preciso mencionar que todos consideraram os mesmos deveres como os mais entediantes. Portanto, para manter a equidade e garantir a satisfação de todos os membros da equipe em relação às características gerais da função, as tarefas menos desejáveis foram divididas igualmente. A definição do papel de cada colaborador dentro do departamento gerou grandes resultados para o **engajamento** e a **produtividade**. Ashley Nuese aplicou uma prática recomendada a todos os gestores: ser proativo e perguntar a seus funcionários no que eles gostam de trabalhar e o que poderia afetar negativamente seu engajamento.

Outra ótima maneira de resolver o problema de características da função é a possibilidade de transferir um empregado para uma posição diferente dentro da organização. Se um funcionário é entrosado e tem se mostrado um trunfo para a empresa, faz sentido tentar manter esse indivíduo, ajustando o seu papel. As grandes organizações geralmente têm programas de transferência interna de funcionários. Portanto, as mudanças de função laterais configuram uma boa solução aos trabalhadores que querem continuar fazendo parte da empresa, mas não se sentem totalmente engajados em sua posição atual.

Propulsor-chave 6 – Relacionamento da administração *sênior* para com os funcionários

"Trabalho em equipe é um monte de gente fazendo o que eu mando."

- Executivo da Virtual Software Corporation

Independentemente de uma organização dispor de 50 mil ou de 15 empregados, o relacionamento da diretoria para com seus colaboradores desempenha um papel significativo no engajamento dos funcionários. Como os líderes seniores são responsáveis pela orientação estratégica da empresa, os funcionários de todos os níveis querem sentir que essas pessoas entendem seus pontos fortes e desafios. Os administradores seniores certamente vivem ocupados com as operações diárias da organização, mas é essencial que, de maneira consistente, dediquem tempo ao relacionamento com os seus colaboradores.

Se raramente veem seus gestores seniores em pessoa, os empregados podem pensar que os diretores principais não se importam verdadeiramente com eles. Embora essa percepção possa estar muito longe da verdade, vez ou outra verificamos essa impressão nos empregados. A liderança sênior deve, simplesmente, incluir em sua agenda o **"momento de dar as caras"** com o intuito de mostrar visível apoio aos esforços de seus empregados a fim de fortalecer seu relacionamento com os membros de sua equipe. De fato, nenhum de nossos clientes que já alcançou excelência em sua área apresentou pontuação baixa em nossa pesquisa no quesito **"visibilidade da liderança sênior"**.

O Instituto de Pesquisas HR Solutions concluiu um estudo no qual descobriu uma ligação direta entre a percepção da visibilidade da liderança sênior e a percepção do interesse da liderança sênior pelos funcionários. A análise dos dados dos formulários de pesquisa de engajamento de funcionários de todos os segmentos corporativos mostrou correlação positiva e bastante distinta entre as pontuações referentes à visibilidade da liderança sênior e ao interesse da liderança sênior pelos funcionários; na verdade, encontramos uma correlação quase perfeita (**r = 0,90**) entre o resultado positivo da **visibilidade da liderança** e o resultado positivo do **interesse pelos funcionários**.

Ao aumentar sua exposição e torná-la mais frequente, a alta administração começa a alcançar melhorias nos resultados desse propulsor de engajamento. A liderança sênior, a diretoria e a supervisão podem também se utilizar de um método para o aperfeiçoamento de sua visibilidade denominado gerenciamento itinerante (MBWA).[e] O

---

e - *Management by Walking Around.* (N.T.)

MBWA é um conceito de negócios, criado em 1982 por Tom Peters,[f] que tem sido usado com sucesso por muitas organizações. Essa técnica melhora o relacionamento da diretoria com os trabalhadores e, ao mesmo tempo, amplia o conhecimento da administração a respeito de problemas operacionais. Assim, de acordo com as bases do conceito MBWA, a liderança sênior é incentivada a visitar informalmente as áreas de trabalho de seus colaboradores a fim de trocar informações, obter sugestões e conhecer os desafios enfrentados pelos funcionários (ver figura 3.3) .

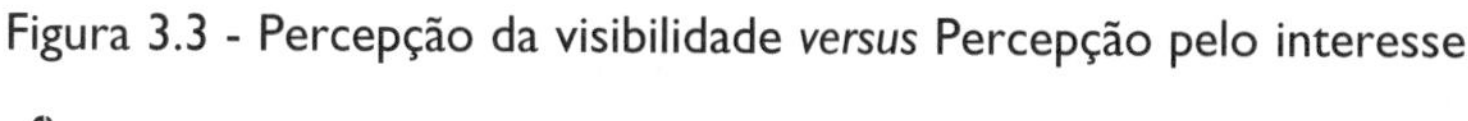

Figura 3.3 - Percepção da visibilidade *versus* Percepção pelo interesse

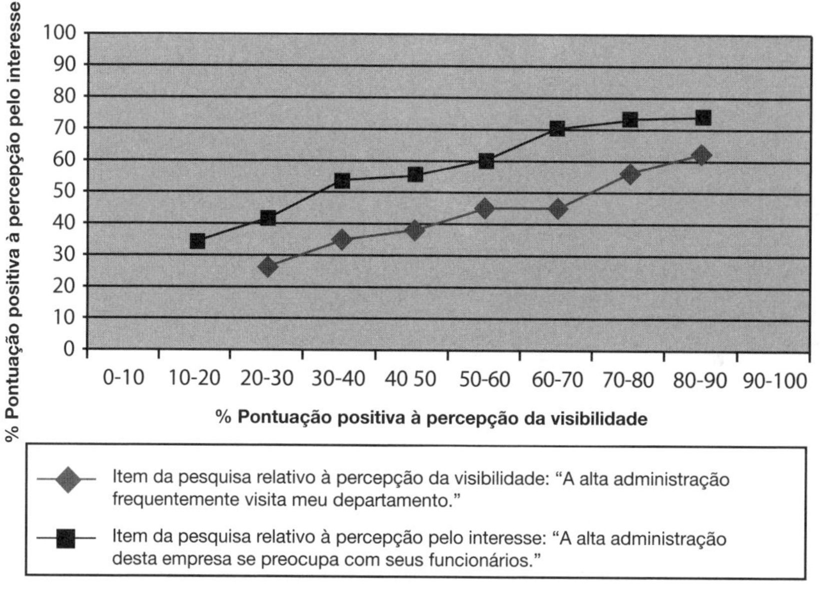

Os líderes de organizações globais também podem se beneficiar dessa estratégia. Ao viajar para diferentes países, os gerentes seniores devem fazer um esforço para se relacionar com os empregados em todos os níveis hierárquicos. É extremamente importante que a visibilidade transcenda a visita física;

f - Referência a Thomas J. Peters, escritor norte-americano sobre o tema gerenciamento de negócios. (N.T.)

a **autenticidade** é um componente-chave para o sucesso desse empreendimento, uma vez que promove a confiança dos colaboradores nos líderes. Bill George, autor de *Liderança Autêntica*[g] e ex-CEO da Medtronic, é especialista nesse tema. Seu livro argumenta que quando os líderes seniores priorizam as pessoas e a missão da empresa às preocupações financeiras, a organização experimenta um sucesso muito maior. Concordo plenamente. A ética de reciprocidade, também conhecida como a **"regra de ouro"**, fornece uma bússola maravilhosa para se navegar como um líder autêntico: **"Trate as pessoas como gostaria de ser tratado."** Um conselho simples, mas poderoso, muitas vezes esquecido em meio à agitação do dia a dia.

Os gerentes seniores devem abandonar seu egotismo e mostrar verdadeiro interesse em ouvir e responder às ideias e questões levantadas pelos funcionários durante essas trocas informais. Os colaboradores que trabalham na linha de frente muitas vezes representam a melhor fonte de ideias inovadoras e produtivas para melhorar o serviço ao cliente e a eficiência da empresa. Desse modo, a organização realmente se beneficia quando investe no aperfeiçoamento do fluxo ascendente de comunicação à gestão.

Miniestudo de caso – Uma hora por dia

O diretor-geral de um de nossos clientes nos proporcionou o estudo de caso perfeito sobre a visibilidade da liderança sênior. Esse CEO se empenhou em investir pelo menos uma hora de seu tempo todos os dias para caminhar pela empresa a fim de conversar com funcionários e, acima de tudo, **ouvi-los**. Em virtude – em grande parte – dessa prática, a organização tornou-se a primeira e única entidade do setor público a figurar na lista das "100 Melhores Empresas para se Trabalhar" da revista *Fortune*, conquistando a 36ª posição, e ultrapassando grandes empresas

---

g - São Paulo: Gente, 2009. (N.T.)

como a Microsoft. No ano seguinte, a organização voltou a fazer parte da lista, dessa vez ocupando a 18ª posição.

Ao tornar-se mais disponível a seus empregados, esse diretor-geral ajudou a criar um senso de comunidade, o que, por sua vez, promoveu o engajamento dos funcionários e reduziu a rotatividade de pessoal. (A taxa de rotatividade de funcionários da organização é 75% inferior à média nacional.) A empresa repetiu o sucesso ao ser avaliada por seus clientes; os resultados da pesquisa de satisfação dos clientes posicionaram a companhia no percentil 97 entre todas as organizações pesquisadas.

Melhores práticas

Os líderes seniores podem fazer sua caminhada pela organização empurrando um **carrinho de sorvetes** ou de **lanches**. Essa, aliás, é uma ótima maneira de incentivar os funcionários a interagir com a alta gerência em um ambiente casual. Os gestores seniores podem alternar-se na condução do carrinho a cada mês de modo que todos eles se conectem diretamente com os empregados. Um dos clientes da HR Solutions implementou essa prática e suas pontuações referentes à visibilidade da gerência sênior e à preocupação com os funcionários rapidamente se elevaram.

Se a empresa dispõe de um refeitório, os gestores seniores devem comprometer-se a almoçar nesse local ao menos uma vez por semana, revezando-se; eles precisam perguntar aos funcionários se podem se juntar a eles para almoçar, sentando-se à mesa deles – o que promove uma sensação mais elevada de inclusão e interação. Como exemplo, a equipe de gestão sênior de um dos clientes da HR Solutions implantou essa prática em sua organização e, em sua pesquisa subsequente, verificou um aumento de 30% em sua pontuação referente à visibilidade da alta administração. É importante observar que os gerentes seniores não estabeleceram uma "mesa da alta administração" no refeitório, na qual interagiriam apenas entre si. Eles se sentaram, comeram e conversaram com diferentes grupos de trabalhadores durante suas visitas ao refeitório.

Para fazer esse propulsor de engajamento de fato funcionar é essencial que os gestores seniores dediquem seu tempo periodicamente ao cultivo do relacionamento com funcionários de todos os níveis hierárquicos.

Propulsor-chave 7 – Comunicação aberta e eficaz

> *"Sabemos que a comunicação é um problema, mas a empresa não vai discuti-la com os empregados."*
>
> - SUPERVISOR DE COMUTAÇÃO DE UMA EMPRESA PROVEDORA DE TELECOMUNICAÇÕES

A **comunicação** é, em si, seu próprio propulsor de engajamento. Mas, além disso, ela também permite o sucesso de todos os outros propulsores. Sem uma boa comunicação, os demais falham rapidamente. E é por isso que a comunicação se estabelece como uma das três dimensões de poder (ver Capítulo 1).

Apenas 68% dos funcionários acreditam que as políticas da organização em que trabalham lhes são claramente comunicadas.[11] O desalinhamento mais evidente que ocorre no local de trabalho relacionado à comunicação envolve as fontes de informação aos trabalhadores. Percebemos essa lacuna quando consideramos de onde os funcionários preferem obter informações e de onde eles, de fato, as recebem. Apresentamos dois itens da pesquisa que permitem a avaliação desse déficit de comunicação, e devemos ressaltar que se trata de um verdadeiro abismo (Veja a Tabela 3.1).

Podemos depreender duas questões essenciais a partir dessa pesquisa. A primeira é que há uma discrepância gritante entre o percentual de pessoas que **quer ouvir** o próprio supervisor e a porcentagem que **de fato está recebendo comunicação direta** do supervisor. Apenas os medíocres acreditam na gestão baseada na **"teoria do cogumelo"**: mantenha os funcionários no **escuro** e,

Tabela 3.1 - Lacuna na comunicação

Eu atualmente recebo a maioria das informações referentes a esta empresa:	**Em reuniões ou conversas com meu supervisor**	**Dos meus colegas de trabalho**	Do *newsletter* direcionado aos funcionários	De memorandos internos	Por *e-mail*, pela Intranet
Distribuição percentual	**35**	**26**	6	7	24
Eu prefiro receber a maioria das informações referentes a esta empresa:	**Em reuniões ou conversas com meu supervisor**	**Dos meus colegas de trabalho**	Do *newsletter* direcionado aos funcionários	De memorandos internos	Por *e-mail*, pela Intranet
Distribuição percentual	**52**	**6**	6	10	24

ocasionalmente, despeje sobre eles algum **adubo** para **assegurar seu crescimento**. Se você está lendo este livro, é porque provavelmente não acredita nessa corrente de pensamento.

Muitas vezes, mesmo os gestores que se preocupam com a comunicação contribuem para essa lacuna devido a sua reação padrão, e bastante comum, de voltar imediatamente ao trabalho após o recebimento de um anúncio em uma reunião executiva. Os gestores, em geral, vivem muito ocupados com suas tarefas, e a comunicação necessita de tempo e esforço extras. É fácil se concentrar na finalização de outros serviços, em vez de falar com os empregados para garantir que todas as perguntas deles sejam respondidas. Para erradicar essa falta de comunicação de maneira eficaz, os gerentes poderiam se reunir rapidamente com seus subordinados diretos para compartilhar quaisquer notícias ou acontecimentos que afetassem a eles ou à percepção deles quanto ao local de trabalho.

O segundo ponto a respeito dessas descobertas (e que é ainda mais alarmante) é a elevada porcentagem de funcionários que reportam que a sua principal fonte de informação são seus colegas de trabalho. É particularmente inquietante que o **"boca a boca"** seja para eles uma fonte comum, porque os funcionários estão demonstrando confiar mais em boatos do que na informação factual. As organizações que não oferecem comunicação adequada aos funcionários tornam-se rapidamente terreno fértil para os boatos, o que é **perigoso** e **tóxico** para o **engajamento**. Existe uma relação direta entre **fofoca** e

engajamento: o aumento das fofocas diminui o engajamento, e vice-versa. A promoção de um ambiente que elimine as fofocas deve ser uma prioridade para todos os gestores.

Produtividade

Quando os funcionários não entendem o que deveriam estar fazendo, o seu tempo é desperdiçado. Os supervisores devem se certificar de que seus subordinados diretos entendam as tarefas e funções atribuídas a eles, e incentivar os trabalhadores a pedir esclarecimentos sobre quaisquer questões que surjam ao longo do caminho. Se os supervisores não se mostram abertos a responder às perguntas de seus funcionários, estes provavelmente irão evitar procurar as respostas que os ajudariam a se tornar mais produtivos.

A coordenação entre diferentes departamentos muitas vezes também representa um desafio, especialmente em grandes organizações. A comunicação clara é vital para que os departamentos trabalhem em parceria e de maneira produtiva. Se os funcionários de uma área não sabem em que os colegas do outro setor estão trabalhando, as tarefas podem ser atrasadas, concluídas na ordem errada ou desnecessariamente realizadas diversas vezes por pessoas diferentes. Uma boa prática de comunicação a se estabelecer nesse caso é pedir *feedback* de sua equipe. Isso ajudará a orientar a comunicação entre o seu grupo de trabalho e manterá todos em sintonia.

Propulsor-chave 8 – Cooperação/satisfação do colega de trabalho – o grande responsável pela retenção de funcionários

> *"O mundo é cão, e eu estou usando uma cueca de gatinhos, pois os cães gostam de perseguir gatos."*
>
> - NORM PETERSON, DO SERIADO DE TV CHEERS

Mesmo que você não trabalhe no bar onde todos o conhecem, algumas das amizades mais duradouras geralmente se iniciam no ambiente de trabalho. Considerando a quantidade de tempo que passamos junto a nossos colegas, essa afirmativa não surpreende. Passamos muito mais tempo com nossos colegas de trabalho do que com nossa própria família. Os colegas, primeiramente, entram em nossa vida como completos estranhos, mas, em pouco tempo, sabem mais sobre nossa vida diária do que nossos melhores amigos de fora da empresa. O compartilhamento de pequenas informações com essas pessoas, de fato, acaba construindo um relacionamento ao longo do tempo. Há muitos anos, quando trabalhei como auditor de crédito no banco Chase Manhattan, fui apresentado a um novo colega chamado Jeff Edwards. Comecei a conhecê-lo melhor por meio de fatos triviais e particularidades, como, por exemplo, em que ele se especializara na universidade e no modo como gostava do seu café. Daí em diante, fiquei sabendo mais a respeito de sua família e seus passatempos, e, então, começamos a trocar piadas. Jeff é a pessoa mais esperta que tive o privilégio de conhecer, e sinto orgulho ao dizer que ele se tornou meu mentor. Nossa amizade se estreitou rapidamente com as viagens a negócios que fizemos ao redor do mundo, incluindo alguns lugares memoráveis como o Panamá e a Austrália. Tive a oportunidade de viajar para 65 países durante toda a minha vida, e muitas de minhas primeiras experiências no exterior aconteceram ao lado de Jeff, bem como de outros ótimos colegas. Eu gostava de muitos dos meus companheiros de trabalho, mas Jeff Edwards tornou-se uma das razões pelas quais eu ansiava ir trabalhar todos os dias. Independentemente do projeto em que estivéssemos trabalhando, tudo se tornava uma experiência agradável. Eu sempre acreditei em mim mesmo, mas Jeff me ensinou a levar esse sentimento a um patamar ainda mais elevado.

Por fim, Jeff Edwards deixou o banco para ingressar na Harvard Business School (HBS). Fiquei intimidado por ele ter sido aceito em um programa de tanto prestígio e desejei poder seguir os passos dele. Jeff me disse que, se eu também quisesse entrar na HBS, eu deveria tentar. Eu, primeiramente, pensei que ele estivesse apenas sendo enfático em dizer que eu deveria correr atrás dos meus sonhos. Em verdade, eu não acreditava ser capaz de ingressar na HBS, mas ele me persuadiu a considerar a possibilidade de maneira mais séria. Para minha surpresa, ele quase insistiu que eu tentasse, e assumiu a responsabilidade de me ajudar revisando e fornecendo conteúdo para o meu pedido de admissão. Fiquei embasbacado quando recebi a carta da HBS que dizia que eu fora aceito. Sem o incentivo de Jeff eu teria perdido tal oportunidade de **mudança de vida**. Passamos um ano inteiro juntos na HBS, e, em seguida, presenciamos o casamento um do outro; tenho orgulho de ser o padrinho de um dos filhos dele.

Quando relembro a maneira como eu e Jeff nos conhecemos, a importância do engajamento entre os colegas de trabalho realmente toca meu coração. Eu gostava do meu trabalho naquela época, mas eram os meus colegas os principais responsáveis por me fazer sentir animado em ir para a empresa todos os dias. Eu já testemunhei essa mesma situação ocorrer com inúmeros funcionários em todos os tipos de organizações, muitas vezes de maneira muito mais intensa do que a experimentada por mim. Muitos empregados se sentem subestimados e mal remunerados, não gostam de seus chefes e não se identificam com a estratégia ou a missão da empresa. Mas, apesar de todos esses revezes ao seu engajamento, eles se mantêm na mesma companhia porque gostam das pessoas com quem trabalham todos os dias.

Os colegas de trabalho são como o "recheio do bolo" que faz com que os funcionários voltem ao trabalho, e, inclusive, anseiem por esse retorno.

Como empregador ou gestor, lhe é interessante alimentar a **satisfação dos colegas de trabalho**. 87% dos funcionários dizem que seus colegas de trabalho são **amigáveis** e **prestativos**.[13] Considerando quão positivamente os empregados respondem a esse item da pesquisa, os empregadores podem beneficiar-se desse propulsor de engajamento. Ao permitir à equipe a oportunidade de socializar e se divertir durante o dia, as organizações conseguem encorajar a camaradagem entre os colaboradores e fazer com que a satisfação entre os colegas de trabalho reforce o engajamento.

Propulsor-chave 9 – Disponibilidade de recursos para o desempenho eficaz do trabalho

"Desculpe-me, mas acho que você pegou meu grampeador..."
- Milton Waddams, no filme *Como Enlouquecer seu Chefe*

Apenas 50% dos empregados dizem dispor de equipamento apropriado para realizar seu trabalho.[14] Isso representa metade de toda a mão de obra! Deixemos essa estatística ressonar por um momento. Isso significa que cerca de 50% da força de trabalho é menos produtiva do que poderia ser pelo simples fato de lhes faltar equipamento adequado. **Isso faz algum sentido?** A não ser que uma empresa esteja enfrentando problemas sérios de fluxo de caixa e verdadeiramente não esteja em situação de assumir despesas para realizar aquisições necessárias, não existe desculpa para se estancar a produtividade de uma empresa desse modo. Analisemos quão ruim a perda na produtividade pode ser para uma organização.

50 pessoas × 10% de perda em produtividade = 5 pessoas

Imagine que a companhia ABC empregue 100 pessoas e que 50 delas sejam 10% menos produtivas do que poderiam ser por falta de equipamentos adequados. Os 10% de perda em produtividade dessas 50 pessoas equivalem à produtividade de 5 pessoas. O rendimento médio de um indivíduo nos EUA é de US$ 43.460 anuais (US$ 20,9 hora).[15] Para simplificar, digamos que todos os funcionários da empresa ABC recebam esse mesmo salário. Como todos os empregadores sabem, o custo de um profissional para a companhia é significativamente mais elevado que o valor do seu salário – eles incluem ainda o pagamento de um percentual do seguro-saúde, participação nos lucros da empresa ou até mesmo uma fatia do fundo de aposentadoria do empregado. Como se não bastassem todos esses custos, os contratantes também cobrem as despesas com o recrutamento, a integração e o treinamento de cada colaborador. E, apesar dessas despesas poderem diferir bastante de empresa para empresa, o valor médio que cada empregado custa a seu empregador é 1,25 a 1,4 vezes seu salário-base.[16] Se considerarmos a estimativa mais conservadora de 1,25, o custo total real de cada trabalhador na ABC é de US$ 54.325 ano. Considerando esse montante, o custo de cinco pessoas a mais somaria US$ 271.625.

Isso significa que a empresa ABC irá perder mais de **um milhão de dólares** em quatro anos por empregar cinco pessoas a mais do que precisaria se fornecesse equipamentos apropriados à sua equipe. Não se esqueça de que esse valor foi calculado em cima de um custo por pessoa avaliado de forma bem conservadora. Considerando esses cálculos, será que a empresa ABC realmente está economizando ao manter uma atitude frugal em relação a seus equipamentos e suprimentos? Claro que não, trata-se de uma verdadeira **"economia de palitos"** e de uma atitude tola em relação à produtividade.

Lembre-se de que além da verdadeira raiz do problema – produtividade limitada por falta de recursos para se realizar o trabalho de maneira eficaz –, os funcionários que encaram esse tipo de entrave sofrem perda em termos de engajamento, o que também reduz a produtividade.

Os efeitos compostos

Como outro exemplo, imagine que você é uma assistente administrativa. Você é responsável pela agenda de utilização da sala de conferências e por assegurar que todos os participantes disponham de cópias impressas de todos os documentos necessários às reuniões. Essa tarefa parece bastante simples, e de fato seria não fosse pela temperamental máquina copiadora; ela atola constantemente, então você precisa abrir suas pequenas gavetas e sacudir suas alavancas de modo a "persuadi-la" a voltar a imprimir. A tinta vaza um pouco, então é arriscado ficar muito perto dela. Você já arruinou seu vestido favorito uns meses atrás tentando desatolar um maço de folhas, então agora você mexe nela muito mais devagar e com cuidado para manter suas roupas limpas.

Quando finalmente consegue "convencer" a copiadora a voltar a imprimir, você percebe que o papel acabou. Como a empresa em que trabalha não quer gastar muito em suprimentos, a quantidade de papel solicitada ao fornecedor nunca é suficiente, e sempre termina antes da hora. Da última vez, você acreditou que estava agindo de maneira proativa ao utilizar o lado em branco das folhas usadas que estavam na caixa para reciclagem. Mas seu chefe a repreendeu dizendo que oferecer papel reutilizado a clientes em reuniões parecia uma atitude não profissional. Como você não quer ser repreendida novamente, não tem outra saída a não ser pegar seu carro e correr até a papelaria mais próxima a fim de comprar mais papel com seu próprio dinheiro. (Você vai preencher uma solicitação de reembolso e receber seu dinheiro de volta daqui a alguns meses, se fizer um *follow up* (acompanhamento) com o departamento de RH para lembrá-los diversas vezes, é claro.)

Finalmente, após 45 min do início da tarefa você está de volta ao escritório e consegue imprimir os dez conjuntos de documentos que poderiam ter sido impressos em menos de 5 min. Você disponibiliza o material na sala de conferências na hora certa, mas está frustrada, suada e descabelada por literalmente ficar correndo por aí, tentando colocar o equipamento para funcionar e arranjando suprimentos. Então, percebe que vai ter de ficar até mais tarde para terminar suas tarefas, já que não conseguiu fazer nada enquanto estava enrolada em sua aventura com a máquina copiadora. Você liga para a babá e diz a ela que irá chegar mais tarde em casa, o que significa mais uma conta a pagar e menos tempo com seus filhos. O quanto você ama seu emprego nesse momento? Você se sente estimulada e ansiosa para voltar a trabalhar no dia seguinte e encarar a infernal máquina copiadora?

Em essência, o propulsor de engajamento relativo à Disponibilidade de Recursos para o Desempenho Eficaz do Trabalho revela duas faces: a perda de produtividade é ruim, mas quando ela conduz à perda de engajamento torna-se **muito** pior. Faça um favor a si mesmo e conserte a máquina copiadora antes que seus funcionários comecem a fantasiar sobre um plano para roubá-la, levá-la para um terreno baldio e destroçá-la a paus e pedras, como no filme *Como Enlouquecer seu Chefe*.

Estudo de caso – O poder da vassoura

Aumentar a produtividade dos funcionários é um pensamento que está sempre passando pela cabeça dos bons gestores. Uma equipe produtiva completa mais trabalho em menos tempo, conduzindo a lucros mais elevados nos negócios e sucesso geral. Há muitos anos, a HR Solutions trabalhou com um cassino do norte de Indiana que tinha alguns sérios problemas relacionados à falta de equipamentos. Por meio da revisão das pesquisas de engajamento dos funcionários do cassino, encontramos um nível muito alto de insatisfação por parte dos colaboradores dos departamentos de limpeza e serviços gerais. Aliás, como mencionado anteriormente, esse *feedback* é comum ao departamento de serviços gerais de qualquer setor. Ao conduzirmos as sessões de *feedback* a esses empregados, eles disseram, de maneira unânime, que a razão para sua insatisfação e seu desengajamento eram as vassouras superdesgastadas e os produtos de limpeza de baixa qualidade oferecidos pela empresa para o seu trabalho.

Apesar de a vida útil dos suprimentos utilizados na empresa não parecer uma prioridade para alguns gestores, ela pode fazer grande diferença para os funcionários que os utilizam e dependem deles para realizar suas tarefas diárias. Os trabalhadores achavam que suas vassouras não estavam mais limpando tão bem quanto deveriam, o que atrasava seu trabalho e reduzia sua produtividade.

Os colaboradores conversaram com o gerente do departamento diversas vezes a respeito da necessidade de novos materiais, mas, em todas as oportunidades, receberam a resposta de que teriam de conseguir realizar o trabalho com o que lhes fora disponibilizado. Desse modo, além de insatisfeitos com os recursos de que dispunham para efetuar seu serviço, os empregados acharam que a empresa não se preocupava a respeito da produtividade deles ou da qualidade de seu serviço – o que não era verdade.

Quando os executivos do cassino ficaram sabendo que os velhos equipamentos de limpeza estavam limitando drasticamente a produtividade do departamento, decidiram que, para o benefício de todos, deveriam renová-los. O investimento em novos suprimentos permitiria que os empregados se tornassem muito mais produtivos, e o preço pago pelas novas vassouras e materiais de limpeza rapidamente pagaria a si próprio mediante a elevação do rendimento dos funcionários.

Essa situação exemplifica bem de que maneira um pequeno investimento monetário pode render grande produtividade. Quando a insatisfação dos funcionários está ligada às ferramentas e aos recursos para o desempenho do trabalho, ela deve sempre ser considerada seriamente pela administração.

Propulsor-chave 10 – Cultura organizacional e valores essenciais/compartilhados

> *"Tudo o que afeta diretamente alguém, afeta indiretamente todos os demais. Eu não consigo me tornar quem devo ser até que você consiga o mesmo para si. Essa é a estrutura de inter-relação da realidade."*
>
> - Martin Luther King Jr.

Os valores compartilhados representam os tijolos e a argamassa da arquitetura organizacional invisível mencionada no Capítulo 2. Em suma, esses valores mantêm você e sua equipe unidos. A julgar pelo sórdido caminho que escolheram, atrevo-me a arriscar que empresas como a Enron, a Tyco International e a L. Bernard Madoff Investment Securities LLC mostram pouca evidência de que seus funcionários tinham (e seguiam) valores compartilhados capazes de mantê-los com os pés no chão. Entretanto, além de se estabelecer valores fortes a serem partilhados entre os funcionários, também é necessário criar uma estrutura que dê suporte a esses valores. O propulsor-chave relativo aos valores essenciais/compartilhados abrange vários elementos inerentes ao engajamento de funcionários.

Diversidade de conhecimentos e inclusão

Tendo em vista que a força de trabalho se compõe cada vez mais da diversidade existente entre seus membros, é essencial estimular a criação de um ambiente que dê suporte a funcionários oriundos de diferentes origens para a construção de uma CM.

É importante observar que uma cultura diversificada não se constitui apenas de uma multiplicidade de indivíduos; é imperativo que todas as pessoas recebam igualmente o mesmo tipo de apoio e tenham acesso à mesma gama de oportunidades. Em uma comparação interessante, a HR Solutions descobriu que 78% dos trabalhadores relatam que pessoas diferentes (com relação à raça, ao gênero, à idade, à religião, à orientação sexual etc.) são tratadas igualmente dentro das empresas, mas somente 64% delas alegam ser remuneradas de maneira justa. Considerando que as percepções relativas à justiça compõem fator importante relacionado ao engajamento geral de funcionários, o tratamento preferencial é, com certeza, um elemento tóxico à cultura. (A diversidade de conhecimentos e a inclusão são assuntos tão importantes que dedicamos o capítulo 6 à sua profunda investigação.)

Responsabilidade social corporativa

As pessoas querem se sentir bem por contribuírem para o sucesso da empresa em que trabalham. Visto que passam grande parte de sua vida ajudando seu empregador a tornar-se mais lucrativo e/ou bem-sucedido, é encorajador para os funcionários saber que a organização em que trabalham se utiliza dos próprios rendimentos e da própria influência para gerar um impacto positivo no mundo. Essa conexão permite que os empregados se sintam pessoalmente mais ligados à empresa, o que cria um forte alicerce para o engajamento.

Equilíbrio trabalho/vida

Nos últimos anos, todos nós testemunhamos a substituição da filosofia **"viver para trabalhar"** pela de **"trabalhar para viver"**. Os empregados estão valorizando mais a quantidade de tempo que conseguem se manter afastados de seu local de trabalho. Atualmente, as pessoas consideram o equilíbrio positivo entre sua vida pessoal e profissional um dos principais influenciadores da percepção geral que têm de sua vida e de seu trabalho. A quantidade de tempo específica que cada indivíduo necessita passar fora do serviço varia de pessoa para pessoa, mas, em geral, os trabalhadores estão demandando mais tempo para si. As organizações estão percebendo que cabe a elas ajustar-se a essa necessidade para conseguirem atrair e manter grandes talentos.

Flexibilidades no local de trabalho

Independentemente de se tratar de uma consulta médica, dos cuidados necessários a um pai idoso adoentado ou da necessidade de ficar com as crianças quando a babá falta, as responsabilidades pessoais nem sempre podem ser colocadas em segundo plano. Fazer malabarismos com as situações que surgem durante a semana de trabalho pode tornar-se um enorme desafio, especialmente quando a inflexibilidade de um empregador gera estresse. Felizmente, hoje muitas empresas estão oferecendo mais **flexibilidade** do que no passado. No entanto, tal maleabilidade ainda não se revelou suficiente para gerar impacto sobre o engajamento. Enquanto muitas organizações mostram-se flexíveis em relação às situações pessoais de seus funcionários, a **verdade** é que muita tensão ainda se manifesta no local de trabalho quando se trata desse assunto. Para darem o próximo passo em direção à expansão da flexibilidade, as empresas devem considerar de que maneira esse incremento poderá aprimorar a cultura e elevar o engajamento.

Espere um minuto... mas, e o salário?

Você deve ter percebido que o salário não foi incluído na lista dos dez propulsores de engajamento mais importantes. Eu lhe asseguro que não negligenciamos informações nem alteramos nossos dados. O salário realmente **não** é um dos dez propulsores de engajamento mais importantes para os empregados. Mas não considere que o fato de oferecer uma remuneração competitiva não seja importante, porque com certeza é. O salário apenas motiva as pessoas de uma maneira diferente dos propulsores-chave mencionados neste capítulo.

Para elevar o sentimento positivo dos funcionários em relação à sua remuneração, os gestores devem concentrar-se em uma maneira de conectar o salário aos dez propulsores-chave de engajamento. Exploraremos esse tópico com mais profundidade no Capítulo 5: **Superando desmagnetizadores: a compensação e outros desafios para gestores.**

CAPÍTULO 4

RECRUTAMENTO: O ALICERCE DE UMA CM

"Nunca tente ensinar um porco a cantar. Você irá perder seu tempo, e o porco ficará irritado."

- GEORGE BERNARD SHAW

Um em cada **25 novos funcionários deixa o emprego** em seu primeiro dia de trabalho,[1] o que representa um grande **desperdício** de **tempo** e de **dinheiro**! Essa estatística nos leva a pensar sobre o que pode estar acontecendo de errado nos **processos de recrutamento, contratação** e **integração de novos funcionários**. Talvez você não considere essa estatística tão surpreendente, levando em conta o número de pessoas não profissionais e não confiáveis que existem no mundo. Um em cada 25 indivíduos parece pouco, não é? Apesar de concordar que existem pessoas consideravelmente menos confiáveis que outras, o detalhe mais significativo dessa questão é que os empregadores demonstraram consideração o suficiente por elas a ponto de contratá-las. Portanto, esses infortúnios relativos à contratação de profissionais mostram que algo aconteceu de errado no processo de recrutamento.

Muita gente acha que o recrutamento se baseia simplesmente em selecionar um candidato para um emprego. Entretanto, apesar da seleção ser importante, ela representa apenas uma parte de um processo de quatro passos:

1º) Encontrar e determinar a melhor pessoa para o serviço.
2º) Informar o candidato à vaga, **antes** de contratá-lo, a respeito da função a ser desempenhada e sobre a organização.

3º) Realizar um bom processo de integração.
4º) Assegurar que a organização cumpra o que foi prometido ao candidato durante o processo de contratação.

Para se construir uma cultura magnética é necessário que as quatro etapas do processo de recrutamento sejam realizadas com entusiasmo e magnetismo.

Primeiro passo – Encontrar e determinar a melhor pessoa para o serviço

A melhor pessoa para o trabalho é aquela que demonstra **disposição natural** para ser um funcionário engajado. Apesar de muitos fatores afetarem o engajamento – incluindo as características de uma função –, alguns indivíduos, de fato, apresentam predisposição natural a se engajar. Tais pessoas encaram a vida de maneira positiva. Como verdadeiros otimistas, transformam os limões que recebem em limonada. E, apesar de as empresas não darem limões a seus funcionários, alguns trabalhos podem apresentar alguns aspectos bem **"azedos"**. Portanto, a fim de viabilizar o sucesso da uma organização é preciso empregar pessoas que personifiquem tendências de engajamento – ou seja, os **"fazedores de limonada"**.

O primeiro passo para a criação de uma CM é o **aprimoramento da qualidade do processo de contratação de pessoal**, o que também representa o alicerce para o sucesso da gestão de talentos. É essencial montar uma equipe que inclua pessoas talentosas e positivas, com quem os outros **queiram** trabalhar. Em se tratando de recrutamento, os profissionais escolhem entrar para uma empresa porque admiram quem já trabalha nela. No outro extremo, ter os indivíduos errados em sua equipe pode dissuadir candidatos a se juntar à companhia, bem como induzir outros a pedir demissão. Por esse motivo, é imperativo reconhecer e saber lidar com a situação quando alguém **não é a melhor escolha** para a empresa. Se você sabe que precisa demitir alguém e contratar um novo funcionário, **aja de maneira imediata**. Os administradores tendem a procrastinar as decisões difíceis que precisam tomar com relação à gestão de talentos, mas o tempo que se perde pode ser prejudicial. Quanto mais a pessoa errada se mantiver a bordo, mais provavelmente ela conseguirá corromper a cultura da companhia e infectar quem estiver ao seu redor. Além disso, os bons gestores não se contentam em simplesmente encontrar o profissional adequado para uma função: eles mantêm seu novo colaborador sob avaliação contínua.

Estudo de caso – Trabalhando no Google

Determinar a adequação cultural de alguém durante o processo de entrevista pode ser bastante desafiador. Quando as organizações são muito grandes, pode ser especialmente difícil definir que qualidades os candidatos devem apresentar para combinarem com uma cultura formada por milhares de pessoas que são, a princípio, tão diferentes.

De acordo com Russ Laraway, diretor de Soluções em Mídias e Plataformas, quando o Google começou a crescer a uma taxa exponencial, sua liderança sênior teve uma "ideia brilhante: definir o que significava ser um *googley*.[a] Ao determinarem esse conceito, tornou-se muito mais fácil avaliar quais candidatos conseguiriam prosperar no ambiente de trabalho do Google.

Para ser um *googley* é necessário:

- pensar grande;
- ser propenso à ação;
- ser um bom comunicador;
- ter a habilidade de trabalhar de maneira ágil em pequenas equipes.

---

a - Sem tradução para o português. Termo criado pelos administradores da Google para definir seus próprios funcionários. (N.T.)

Ao estabelecer as qualidades imprescindíveis aos colaboradores de que precisava, o Google conseguiu atrair para si os candidatos **adequados** e construir uma cultura corporativa extremamente **forte**. De acordo com Laraway: "Começamos a contratar pessoas que eram mais *googleys* que nós mesmos."[2]

Como a empresa cresceu de 2.500 para 25 mil funcionários em apenas seis anos, a singular cultura do Google floresceu com a construção de uma das mais bem conhecidas CMs do mundo.

Personalidade *versus* habilidades

Óbvio que o ideal é ter um candidato com excelentes habilidades e ótima personalidade, mas, às vezes, as pessoas apresentam certa fraqueza em algum desses extremos. De qual desses aspectos é melhor abrir mão? É melhor contratar um indivíduo que tem anos de experiência na função, mas que parece um pouco distante da companhia em termos culturais? Ou seria mais proveitoso empregar uma pessoa com quem todos adorariam trabalhar, mas que precisará de treinamento adicional para aprimorar suas habilidades?

Eu certamente contrataria o profissional cuja personalidade fosse mais apropriada. A personalidade está impressa no âmago dos indivíduos e é ela que dita de que maneira a pessoa irá se comportar. O caráter abrange a **ética**, os **valores**, a **dedicação**, a **motivação** e o **ponto de vista de um ser humano**. É praticamente impossível alterar a personalidade de alguém, para melhor ou para pior. As habilidades, no entanto, podem ser adquiridas. Portanto, se um candidato apresentar todas as características necessárias para se tornar um funcionário, mas não possui o conjunto de habilidades para o desempenho da função, ainda é prudente considerá-lo para a posição.

Claro que estaríamos exagerando se considerássemos contratar um candidato que nunca trabalhou com computadores para a vaga de especialista em otimização de mecanismos de busca. No entanto, se estiver procurando um profissional que possa digitar 80 palavras por minuto, não exclua o candidato perfeito apenas porque ele consegue digitar somente 65 palavras/minuto. Os benefícios de um bom caráter e de um alto grau de motivação irão significar muito mais que as 15 palavras faltantes. Uma organização magnética deve oferecer treinamentos para que seus empregados se aprimorem sempre. As habilidades de novos empregados devem ser desenvolvidas por meio de iniciativas de treinamento, independentemente do seu grau de proficiência. Se, entretanto, você preferir tentar desenvolver a personalidade das pessoas em sessões de treinamento, desejo-lhe boa sorte.

Em resumo: **pode-se ensinar habilidades, mas não se pode doutrinar o caráter!**

Fichas de requerimento de emprego

Uma ótima maneira para se eliminar rapidamente candidatos desmotivados (desengajados) é pedir-lhes que preencham uma abrangente ficha de requerimento de emprego. O aviso, inserido no início da ficha informando que seu preenchimento deverá levar de vinte a trinta minutos, irá dissuadir os desestimulados até mesmo de completar o requerimento. Ademais, uma ficha mais extensa permite a inclusão de um número ilimitado de questões que podem facilitar na avaliação de personalidade, a fim de determinar se os candidatos são compatíveis com a empresa. As respostas dos requerimentos também representam ótima fonte para se analisar a escrita e a capacidade de comunicação dos candidatos.

A entrevista para o engajamento

A entrevista é um processo extremamente importante ao se considerar candidatos a um emprego. Pontualidade e vestimenta adequada são necessárias, mas as estratégias de contratação, em geral, diferem, assim como os testes iniciais para que os candidatos se autodesclassifiquem para uma vaga. É importante analisar em profundidade as atitudes e os hábitos das pessoas quando precisar decidir entre contratar ou não um funcionário. As perguntas feitas pelo entrevistador podem ajudar a determinar o comportamento e os costumes de um candidato, o que, por sua vez, fornece informações para definir seu potencial nível de engajamento. As características pessoais que um entrevistador deve buscar em candidatos potenciais são:

- disposição positiva;
- inteligência emocional;
- adaptabilidade;
- paixão pelo trabalho;
- orientação para o sucesso;
- habilidade para aceitar *feedback*.

Fazer perguntas circunstanciais durante a entrevista ajuda a determinar se o candidato dispõe do temperamento e da personalidade adequados à posição, bem como das características pessoais citadas anteriormente.

A inteligência emocional pode ser um indicador perspicaz da capacidade do candidato para alcançar sucesso na organização. De acordo com estudo recente, **46%** dos novos contratados das empresas **"fracassam"** no prazo de dezoito meses (são dispensados, recebem ação disciplinar, recebem muitas críticas negativas ou pedem demissão sob pressão). Muitas das desvantagens profissionais desses empregados são resultantes da baixa inteligência emocional; **26%** deles falham por não aceitarem *feedback*, enquanto **23%** fracassam por sua incapacidade de entender e gerenciar as próprias emoções.[3] Cabe aos gerentes de contratação avaliar essas qualidades durante o processo de entrevista para evitar problemas posteriores.

O momento da entrevista também é ótimo para estimar o nível de motivação de um candidato. Uma simples pergunta como: **"Por que você está interessado neste emprego?"**, pode identificar se um potencial funcionário está motivado para desempenhar bem sua função. Se a resposta se parecer com **"Eu preciso pagar minhas contas"** ou **"Eu moro do outro lado dessa rua"**, a pessoa certamente não tem o grau de motivação necessário para a posição. Mas se o candidato responder **calorosamente: "Este trabalho faz parte do meu plano maior de carreira"**, provavelmente ele tem o estímulo adequado para o cargo. Quando alguém anseia pela experiência tanto quanto pelo salário que irá receber, calcula-se que esse indivíduo irá gostar do trabalho que vai realizar, e, portanto, conjetura-se que ele será um funcionário engajado.

As entrevistas representam a melhor oportunidade de avaliação das qualidades "inegociáveis" dos candidatos. A companhia deve ter uma lista dos "fatores impeditivos" que poderão automaticamente desqualificar um candidato à vaga. Eu, pessoalmente, **não contrato ninguém que não consiga me olhar nos olhos**. Outra característica inegociável é a inabilidade de **responder de maneira clara e concisa** a uma questão. Também não contrato pessoas que não falam sobre, ou não **admitem, os próprios erros**. Se um candidato falha em qualquer uma dessas três qualidades essenciais, todos os nossos gerentes de contratação sabem que tal indivíduo não será adequado à nossa organização.

Os erros

Minha pergunta favorita, quando entrevisto algum candidato, funciona como uma "escala de comportamento" e mostra a disposição das pessoas em assumir responsabilidade por seus próprios erros. Eu deixo os candidatos se sentirem à vontade respondendo a uma série de questões comuns a entrevistas de emprego. Então, eu pergunto: "Qual foi o maior erro que você cometeu no trabalho nos últimos seis meses?" Em geral, esse questionamento provoca uma reação de espanto nos entrevistados. Tristemente, a maioria dos candidatos escolhe responder de uma dessas duas maneiras:

1. O candidato diz que não se lembra de ter cometido um único erro.
2. O candidato descreve uma situação problemática e prontamente culpa outra pessoa.

É possível que eu esteja entrevistando um ser humano perfeito? Não! Estou entrevistando uma pessoa que ou tem problemas em reconhecer que em algum momento poderia ter feito algo de uma maneira melhor ou tem dificuldades em admitir os próprios erros (1ª resposta). Ambas são características ruins, portanto, para mim, pontos impeditivos para uma contratação.

Responsabilidade e **reconhecimento pelos próprios** atos são dois **fatores indispensáveis**. Portanto, a contratação de um indivíduo que já demonstra má vontade em anuir que errou levará somente a tribulações futuras (2ª resposta).

Raramente um candidato a vaga obtém sucesso total nesse teste. Dois anos atrás eu entrevistei candidatos para a vaga de diretor sênior de projetos da HR Solutions, e fiz essa pergunta a todos os entrevistados. Conduzi nove entrevistas e em todas elas recebi as respostas citadas anteriormente. Aquilo me deixou frustrado, porque todos nós cometemos erros. Somos seres humanos e ninguém é perfeito. Claro, as pessoas querem pintar um quadro positivo de si mesmas durante o processo de entrevista, mas, em minha opinião, penso que não exista nada mais cativante do que reconhecer que o entrevistado está sendo franco, justo e honesto. Finalmente, na décima entrevista conversei com uma pessoa que dispunha de todas essas características.

Seu nome era Meredith Boza e quando lhe perguntei sobre seu maior erro ela rapidamente disse: **"Bem, essa é fácil; eu realmente arrumei uma confusão."** Então, ela continuou explicando exatamente o que acontecera de errado em seu último emprego, que medidas ela e os colegas tomaram para assegurar que tal equívoco não tornasse a ocorrer e o que ela pessoalmente aprendera com a situação. Eu confiei nela de imediato e a contratei no mesmo instante. Ela se tornou parte vital de nossa empresa desde então.

Indicações

Para encontrar a elite dos talentos você precisa lançar mão das pessoas que conhece. De acordo com uma pesquisa realizada entre a LinkedIn e a Harvard Business School, as indicações feitas pelos próprios funcionários lideram a lista das fontes mais importantes de contratação nas organizações.[4] Sua empresa está utilizando bem o potencial de sua rede de contatos?

As indicações geralmente propiciam sucesso porque os funcionários entendem a cultura organizacional da empresa e são capazes de dizer se um familiar ou um amigo gostaria de trabalhar na organização. Essa avaliação preliminar serve como uma seleção extra ao processo de recrutamento. De maneira natural, os funcionários filtram os contatos que não necessariamente gostariam de trabalhar na organização, bem como aqueles que não se alinhariam à estratégia e à missão da companhia. Tendo em vista que as indicações refletem no próprio funcionário, as pessoas são seletivas a respeito de quem recomendam para se tornar empregado. Em essência, as indicações deveriam ser seriamente consideradas e recompensadas. Se sua empresa ainda não dispõe de um programa de indicação de funcionários, baseado em incentivos, considere implementar um imediatamente.

Apesar de o processo de contratação ser lento e difícil, as organizações não devem desistir da operação contratando candidatos que não exibam os melhores atributos possíveis. A admissão do funcionário inadequado custa caro, consome tempo e pode atrapalhar a produtividade de uma empresa por muitos anos. Quando estiver em dúvida, **não** contrate.

Os mitos do recrutamento

Existem muitos mitos relacionados ao recrutamento que são prejudiciais ao processo de entrevista e seleção de candidatos. É importante reconhecer essas crenças e analisar se a organização está deixando que esses fatores afetem seu processo de tomada de decisão, seja de maneira consciente ou inconsciente.

Mito 1 – Se um candidato cursou a universidade X ou trabalhou na empresa Y, ele deve ser perfeito para essa posição.

Realidade

Apesar de a formação acadêmica e a experiência profissional serem importantes, esse indicador, se considerado de maneira isolada, é um jeito ineficaz de se avaliar a compatibilidade e as aptidões de um candidato. Ademais, grandes talentos podem acabar sendo negligenciados por causa da atenção extra dada a outros elegendos. Portanto, não se baseie apenas nos belos currículos impressos que lhe forem apresentados.

Mito 2 – A definição de critérios de qualificação extremamente específicos ajudará a "eliminar" os candidatos que não seriam adequados ao trabalho.

Realidade

A definição de critérios extremamente específicos pode levar a um número limitado de candidatos para a entrevista, que é o processo no qual as empresas conhecem melhor um indivíduo. Quando os critérios para admissão são específicos demais, eles podem eliminar tanta gente que, por fim, até mesmo os melhores talentos são excluídos e a escolha por um novo funcionário acaba demorando muito mais que o necessário. Um modo mais eficaz para determinar a adequação e as qualificações da pessoa é simplesmente fazendo a ela perguntas relacionadas ao próprio comportamento.

Mito 3 – O propósito da entrevista é possibilitar que o empregador avalie o candidato à vaga.

Realidade

A entrevista permite que o empregador e o candidato à vaga avaliem um ao outro a fim de determinarem se a oportunidade que se apresenta é benéfica para ambos. Uma boa entrevista é, na verdade, uma poderosa troca de informações, não um monólogo.

Mito 4 – Um candidato precisa ser entrevistado somente por uma pessoa da empresa.

Realidade

Apesar de muitas empresas expandirem seu processo de entrevistas incluindo múltiplos entrevistadores nessa ação, esse mito ainda se mantém em algumas organizações. Quando diversos profissionais da companhia entrevistam um candidato, eles conseguem avaliar diferentes aspectos relativos à qualificação e à adequação cultural do entrevistado, o que gera uma apreciação mais acurada e criteriosa do indivíduo. Essa metodologia também fornece uma visão mais completa da organização aos entrevistados, o que os ajuda a perceber se a organização é adequada aos seus propósitos.

Segundo passo – Informar o candidato à vaga sobre a função a ser desempenhada e sobre a organização antes de contratá-lo.

Se um candidato aceita uma oferta de emprego, vai trabalhar no primeiro dia e falta no segundo, certamente a posição não era o que ele esperava que fosse. Uma parte da culpa pode ser atribuída a pessoas irresponsáveis e indecisas que representam risco de deixar qualquer emprego, independentemente da qualidade do processo de integração efetuado. Porém, às vezes um novo emprego de fato não é o que os contratantes comunicaram em seu processo de entrevista. Quando os novos funcionários vão para a empresa e percebem que a situação do trabalho é bem diferente do que esperavam, é natural que se sintam desapontados e mudem de ideia a respeito de querer fazer parte da organização. Como gerente de contratações, você deve assegurar que esse tipo de falha de comunicação não aconteça.

A primeira interação de alguém que esteja em busca de trabalho com uma empresa se dá por meio da descrição do emprego. Para atrair funcionários em potencial que irão se engajar naquela determinada posição, a descrição da vaga deve ser completa e precisa. Ela deve incluir um cronograma de trabalho, uma lista das tarefas a serem realizadas e solicitações específicas para assegurar que os entrevistados verdadeiramente entendam qual seria sua função dentro da empresa. Também é importante partilhar com os candidatos a avaliação do desempenho deles referente à entrevista antes de contratá-los, desse modo estarão cientes em relação aos critérios que serão utilizados para mensurar seu desempenho. O compartilhamento dessa informação irá inspirar no candidato a excelência desde o início, a fim de auferir tais padrões.

É essencial evitar a inserção de informações enfeitadas para atrair talentos. Se a intenção é que os empregados trabalhem 70 h por semana ou se o pagamento pelo serviço é 90% baseado em comissão, os candidatos devem saber. A inclusão de todos os detalhes relevantes assegura que o grupo de candidatos seja formado exclusivamente por pessoas com genuíno interesse no emprego.

Antes do primeiro dia de trabalho – Melhores práticas

Depois que os funcionários são contratados, mas antes de começarem a trabalhar, eles geralmente têm uma comunicação limitada com o novo empregador. À parte o envio, pela organização, de informações sobre políticas da empresa ou formulários que necessitam de assinatura, é comum haver silêncio absoluto entre as partes antes da data real de início do funcionário na empresa. Em vez de perder esse tempo sem construir qualquer relacionamento, os empregadores deveriam utilizar esse período para inspirar uma boa impressão em seus novos colaboradores, até mesmo conhecendo--os melhor antes do início deles na empresa. Enviar-lhes um *e-mail* ou *e-card* parabenizando-os pelo ingresso na equipe é uma ótima maneira de lhes dar as boas-vindas. Para tornar o processo ainda mais pessoal, os gestores também podem telefonar diretamente para seus novos funcionários.

Peça aos recém-contratados que preencham um pequeno questionário do tipo "Conhecendo você melhor", com perguntas básicas como onde nasceram, fatos engraçados da vida deles e seus programas de TV preferidos. As respostas podem ser colocadas em uma área comum da companhia ou na Intranet, de modo que os demais funcionários consigam conhecer seus novos colegas de trabalho antes que estes iniciem na empresa. Talvez esses pedacinhos de informação sirvam de gancho para o início de uma conversa e até mesmo de uma amizade. Para o novato, ser surpreendido em seus primeiros dias na organização com um diálogo por parte de um profissional da casa, ou receber a oferta de um colaborador experiente para ser seu mentor pode ser muito significativo e acolhedor. E, para o empregador, esse esforço realmente vale à pena.

Terceiro passo – Realizar um bom processo de integração.

Além da importância da integração apropriada, muitos empregados se dizem insatisfeitos com a orientação que recebem. De acordo com o Instituto de Pesquisas HR Solutions, **somente 59% dos funcionários acreditam que a orientação recebida foi adequada.**

A maneira com que os novos funcionários são tratados em seu primeiro dia no emprego é muito importante para a construção de um longo relacionamento. Como em qualquer outro tipo de relacionamento, a primeira impressão conta. Os empregados irão formar uma opinião sobre como é trabalhar para uma companhia logo em seu primeiro dia de serviço, no exato momento em que entrarem no escritório. Algumas práticas simples podem fazer a diferença no sentido de conquistá-los de maneira instantânea. Em compensação, diversos contratempos podem passar a mensagem de que você não dá a mínima se os novos empregados continuam na empresa ou se desistem do trabalho.

Primeiro dia – Melhores práticas

- **Cumprimente os recém-contratados** – Os novos funcionários devem ser recebidos na porta por seu gestor ou supervisor direto. Tendo em vista que o gestor talvez tenha se envolvido bastante no processo de contratação, ele já deve conhecer o novo funcionário e pode fazê-lo sentir-se mais à vontade. Além disso, a presença do gestor no momento em que um novo contratado adentra ao escritório demonstra ao recém-chegado que ele será apoiado e guiado por aquele superior.
- **Apresente os recém-contratados aos demais funcionários** – Os novos empregados devem ser apresentados aos novos colegas o mais rápido possível. Alguns indivíduos acreditam na falsa ideia de que conhecer os novos companheiros de trabalho se assemelha a uma atividade extracurricular extrínseca ao que realmente faz deles funcionários produtivos e engajados. Esse ponto de vista é um equívoco. Como discutido no Capítulo 3, os colegas de trabalho são os verdadeiros responsáveis pela retenção dos funcionários na empresa. Os empregados que gostam de passar tempo com seus colegas apresentam taxa de rotatividade reduzida e tendem a ser mais engajados porque não vão para o trabalho somente para realizar suas tarefas, mas também para interagir com seus amigos do ambiente profissional.
- **Limpe e organize o local de trabalho dos recém-contratados** – Se forem trabalhar em mesa própria, certifique-se de que as

gavetas estejam livres de quaisquer conteúdos ou lixo deixado pela última pessoa que as utilizou. Os novos colaboradores não devem se sentir como se estivessem prosseguindo com o trabalho já iniciado por alguém, mas dando início a uma nova fase.

- **Presenteie com uma cesta de boas-vindas –** Uma pequena "cesta de boas-vindas" é uma ótima maneira de fazer os funcionários se sentirem instantaneamente parte da equipe. Essa iniciativa também demonstra o apreço da empresa por novos empregados, o que irá manter os funcionários no rumo certo para se tornarem engajados e leais à organização. A cesta de boas-vindas pode ser colocada sobre a mesa do novo colaborador ou presenteada diretamente pelo gerente da equipe. Preencher a cesta com alguns dos brindes da empresa (bonés, canecas, chaveiros, canetas etc) é um meio de conectar os empregados imediatamente à marca da organização. Se a empresa comercializar algum produto que não seja caro, talvez ele também possa fazer parte da cesta. Se os recém-chegados preencheram um questionário de boas-vindas listando suas cores favoritas ou lanches prediletos, essa informação poderá ser usada para personalizar a cesta.
- **Atribua um serviço simples no começo –** Mantenha o clima *light* (leve); o primeiro dia deve ser de celebração e bastante tranquilo. Procure não sobrecarregar novos empregados com uma tonelada de papéis, recomendações e atividades. As pessoas levam tempo para processar os dados e realmente internalizá-los. Muita informação ao mesmo tempo, disponibilizada de modo muito rápido, pode se tornar opressivo e ineficaz. É melhor passar uma única tarefa simples para ser completada no primeiro dia, desse modo os novos funcionários irão se sentir valorizados e valiosos desde o início.
- **Organize um almoço para a equipe** – Se a sua empresa dispõe de um restaurante para os funcionários, o fato de não saber onde se sentar ou com quem almoçar pode causar certa ansiedade nos novos empregados. Considere

marcar um almoço em equipe no primeiro dia de trabalho dos novos empregados, desse modo eles poderão relaxar e conhecer pessoas. Se a companhia não dispõe de um refeitório, os gestores e colegas de trabalho poderão tomar a iniciativa de propor um almoço à equipe, convidando assim o recém-contratado.

- **Defina um "colega-mentor"** – Defina quem irá fornecer treinamento e *mentoring* ao(s) novo(s) funcionário(s). Colegas-mentores devem ser bons funcionários, estar ativamente engajados e demonstrar experiência nas mesmas funções que o recém-contratado irá desempenhar. Ao definir os colegas-mentores para os novos empregados no primeiro dia de trabalho, estes irão se sentir mais à vontade porque saberão não apenas a quem recorrer em caso de dúvidas, mas também em quem poderão se espelhar. Ademais, parear recém-contratados a funcionários entusiasmados com o próprio trabalho irá ajudar a criar uma cultura organizacional positiva imediatamente.

A maneira como um funcionário é tratado em seu **primeiro dia** de trabalho pode ajudar a **mantê-lo** na empresa pelos próximos dias, semanas e até meses.

Treinamento

Funcionários recém-contratados percebem rapidamente a carência de treinamento adequado na empresa, e isso poderá se transformar em um motivo para a decisão **voluntária** e imediata de deixar o posto recém-conquistado. Isso acontece porque os empregados realmente engajados desejam realizar um bom trabalho. Porém, quando percebem que uma empresa não os prepara para o sucesso, não oferecendo-lhes treinamento apropriado sobre **de que maneira** fazê-lo, os empregados podem se frustrar rapidamente e reconsiderar se a atitude de ter aceito tal emprego foi, de fato, a mais acertada.

É fundamental treinar os novos funcionários nas tarefas que eles deverão realizar **antes** de torná-los responsáveis por elas. Apesar de esse conceito parecer óbvio, muitas organizações fazem vista grossa sobre a importância dos treinamentos adequados. Quando um novo funcionário é contratado, é natural que a equipe provavelmente esteja atolada em trabalho; essa é a razão para se trazer mais um marinheiro a bordo do navio. É fácil pressupor que assim que uma pessoa começa a trabalhar ela possa imediatamente dar conta de todos os afazeres que um profissional que assume tal posição deve gerenciar. No entanto, não é assim que as coisas funcionam.

Todos precisam ser treinados e orientados sobre a melhor maneira de realizar seu trabalho. O treinamento adequado é importante tanto para a produtividade quanto para simplesmente fazer os recém-chegados se sentirem à vontade em sua nova função. Como as tarefas e os procedimentos variam em diferentes organizações, mesmo indivíduos com alto grau de inteligência e de experiência precisam ser orientados. Os gestores não devem presumir que os novos colaboradores não precisam ser treinados pelo fato de estes terem adquirido experiência em alguns de seus afazeres em outras empresas. A solução, nesse caso, para que ninguém perca tempo valioso de trabalho, pode ser encontrada em programas de aprendizagem eletrônica e módulos de treinamento *on-line*.

A comunicação é a base para um sólido programa de treinamento. Os administradores devem estimular o diálogo aberto com seus subordinados diretos com relação às necessidades de treinamento, às preocupações enfrentadas e observações por eles levantadas. Como as pessoas aprendem de diferentes maneiras, o estilo de aprendizagem é um fator que deve ser levado em consideração em se tratando de treinamentos. Alguns empregados preferem o treinamento prático, enquanto outros preferem ler instruções ou assistir outros profissionais realizando o trabalho a fim de aprenderem como fazê-lo. Os programas de treinamento devem ser flexíveis a ponto de permitir ajustes baseados nas necessidades individuais das pessoas. Permitir essa variação surte resultados muito mais eficazes que a aplicação de um treinamento geral, que pode não ser suficiente para alguns ou mostrar-se excessivo para outros.

Nesse sentido, uma boa prática a ser realizada pelos empregadores é pedir aos novos funcionários *feedback* sobre seu treinamento após a primeira ou segunda semana de trabalho. Esse assunto deve ser retomado ao final do período de experiência do novo colaborador, de modo que se possa avaliar o material utilizado no início e o que o profissional teve de aprender por meio de tentativa e erro. O *feedback* do funcionário pode ser usado para se efetuar alterações no programa de treinamento em vigor.

Quarto passo – Assegurar que a organização cumpra o que foi prometido ao candidato durante o processo de contratação.

Esse é o passo mais importante do processo de recrutamento. Se a empresa não cumprir o que comunicou aos novos funcionários antes de sua contratação, eles irão deixar a empresa, e o processo de recrutamento terá de ser iniciado novamente.

Mais de 59% de todos os funcionários que deixam uma empresa fazem isso entre o período de seis meses a um ano após sua contratação. Dos que decidem ficar, outros 50% saem antes de completar dois anos de casa. Isso significa que quase 80% de todos os empregados nunca ultrapassam a marca de dois anos dentro de uma organização! Os funcionários que são pagos por hora apresentam taxas de retenção ainda mais reduzidas. Setores como o de restaurantes e o de varejo retêm somente 50% de seus empregados contratados por hora por um período superior a três meses.[5] Em tempos de crise financeira, o processo de integração de novos empregados adquire grande importância.

Um plano de ação eficaz nas áreas de atração e retenção deles assegura que as pessoas nas quais você investiu horas de recrutamento e desenvolvimento irão decidir por se manter na organização por muito mais que um ano.

Considerando a grande porcentagem de empregados que deixam a companhia no período de 12 meses, a vertiginosa queda nos níveis de engajamento de 36% para 17% após um ano de trabalho não é tão surpreendente. Analise a Tabela 4.1. Quando a pontuação do engajamento sofre uma queda tão significativa depois do primeiro ano de serviço torna-se claro que os funcionários não sentem que estão recebendo aquilo que lhes foi prometido ou que eles não são os profissionais adequados à organização que os contratou. Desse modo, assim que a **"lua de mel"** acabar, eles começarão a procurar outra posição, principalmente se forem indivíduos da geração X ou os "milenianos", que apresentam tendência mais elevada a "saltar de emprego em emprego".

Tabela 4.1 - Níveis de engajamento e satisfação por tempo de serviço

Tempo de serviço	Satisfação geral com o trabalho	Ativamente engajados	Ambivalentes	Ativamente desengajados
Todos os funcionários dos EUA	76%	27%	60%	13%
Menos de 1 ano	81%	36%	53%	11%
De 1 a 5 anos	74%	17%	67%	16%
De 6 a 10 anos	77%	19%	70%	11%
De 11 a 20 anos	79%	20%	70%	10%
Mais de 21 anos	86%	25%	69%	6%

Como manter os funcionários após o fim da lua de mel

As organizações que enfrentam altas taxas de rotatividade de pessoal geralmente não percebem em que aspecto(s) costumam falhar. Um empregado que antes se mostrava feliz, entusiasmado e engajado nos primeiros meses no trabalho pode se tornar desencantado e desengajado de sua função conforme o tempo passa, sem razão aparente. Infelizmente, esse fenômeno espelha as emoções que as pessoas vivenciam no casamento.

Nos primeiros estágios da vida de casados, as pessoas passam por uma fase "lua de mel" na qual falhas, erros e contratempos são negligenciados. Lentes cor-de-rosa filtram os aspectos menos desejáveis do relacionamento, e as pessoas, em geral, experimentam um pico emocional. Entretanto, ao longo do tempo, os indivíduos começam a enxergar os problemas que originalmente desprezaram ou não perceberam no início do casamento. Até mesmo imperfeições mínimas se transformam em um motivo de frustração conforme ganham força com sua repetição. Pode ser desafiador olhar através desses defeitos e continuar focando no cenário maior; apreciando a outra pessoa no relacionamento e lembrando porque o casal escolheu ficar junto.

A mesma situação acontece com os funcionários. Os recém-contratados geralmente ingressam com atitude positiva, acreditando que essa nova oportunidade de emprego não vai levar a outra coisa senão a **bons resultados**. Apesar de a experiência de trabalho deles ser promissora, a verdade é que na vida nada é perfeito. Não importa quão adequada pareça uma posição ou o quanto alguém goste do próprio trabalho, inevitavelmente haverá momentos desafiadores para o engajamento. Quando a fase de lua-de-mel chega ao fim, as pessoas podem deixar que pequenas imperfeições as levem para o fundo do poço. Esse é o estágio no qual a saída voluntária dos funcionários se torna um grande risco.

Mesmo as melhores organizações – as que se encontram entre os 10% de clientes *top* da HR Solutions – percebem um declive acentuado no engajamento, que corresponde perfeitamente à estabilidade dos funcionários na empresa. Observe a Figura 4.1. Os empregados que estiveram trabalhando na mesma empresa entre um e cinco anos demonstram forte redução no grau de engajamento, que vagarosamente é retomado após a marca dos seis anos de trabalho.[6]

Figura 4.1 Engajamento por tempo de serviço

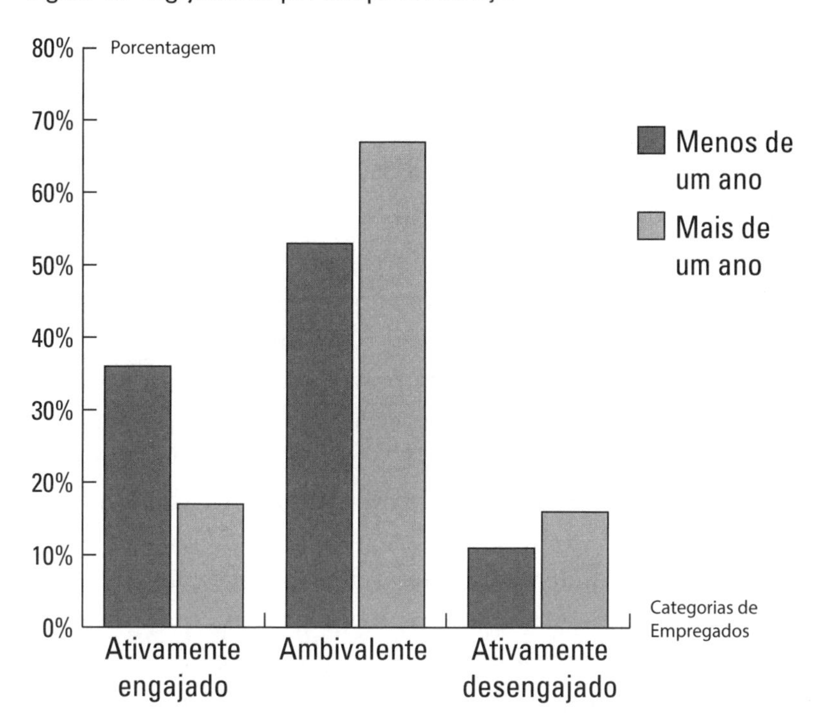

Quando analisam o engajamento dos funcionários, os gestores costumam desconsiderar os dados referentes aos colaboradores com um a cinco anos de casa. Durante o intervalo que compreende os cinco primeiros anos de trabalho em uma organização, os empregados nem são novos o suficiente para receber tanta atenção como obtiveram no início nem tão experientes a ponto de gozar de todos os privilégios e responsabilidades que contemplam. Assim, nesse estágio os funcionários podem se sentir um pouco perdidos no processo, como se vivenciassem a "síndrome do filho do meio".[b]

Os colaboradores com um a cinco anos de casa apresentam os resultados mais baixos nos seguintes itens de pesquisa:

- "Estou satisfeito com minha remuneração, pois ela reflete o empenho que dedico ao meu trabalho."
- "Estou satisfeito com a diferença que existe em termos de remuneração entre funcionários novos e experientes que realizam o mesmo trabalho."

Os gestores podem ajudar esses funcionários a manter-se engajados reconhecendo o empenho deles e lhes comunicando oportunidades de avanço profissional que possam gerar aumento de salário. O apreço também é um elemento-chave, então, os administradores precisam atentar para que seus elogios não se tornem artificiais ou sejam fornecidos de modo automático ao oferecerem apoio a esse grupo específico de trabalhadores. Quando os colaboradores entendem suas próprias tarefas e demonstram que podem executá-las bem, eles geralmente são deixados sozinhos. Essa abordagem distante pode proporcionar um efeito negativo no engajamento no longo prazo. É necessário conversar regularmente com os empregados com um a cinco anos de casa sobre as características do trabalho que realizam e suas metas específicas para o futuro. Ao entender o caminho que os funcionários querem tomar dentro da organização, os gestores serão capazes de ajudá-los.

---

b - A "síndrome do filho do meio" se refere aos sentimentos ostentados por um filho que não é nem o primogênito nem o caçula. Diz respeito à sensação de jamais obter atenção total dos pais, como normalmente ocorre com o irmão mais velho, tampouco os mimos de um irmão caçula. (N.T.)

Entendendo a rotatividade de funcionários

A rotatividade de funcionários se tornou um enorme problema econômico para as empresas – grandes e/ou pequenas. De fato, estima-se que a rotatividade gera um custo de US$ 5 bilhões todos os anos nos EUA.[7] De acordo com o Serviço de Estatísticas do Trabalho dos EUA,[c] cerca de 1,5 a 2 milhões de empregados pedem demissão todos os meses. Mesmo em 2010, quando o mal-estar econômico estava generalizado e os empregos escassos, milhões de pessoas decidiram deixar a empresa em que trabalhavam. Portanto, quando a economia do país se apresenta mais próspera, muitas organizações podem esperar taxas de rotatividade ainda mais altas.

Por que as pessoas pedem demissão?

Todas as organizações, independentemente de tamanho ou setor, devem considerar essa questão. Se você desconhece o porquê de os funcionários estarem deixando a empresa, jamais saberá o que precisa ser ajustado na mesma para aumentar sua taxa de retenção. É simples assim. Muitos administradores não percebem que a vasta maioria dos pedidos de demissão é totalmente evitável. Você não tem, de fato, um "problema de rotatividade"; você **teve outros problemas muito antes de os funcionários pedirem demissão.**

Enquanto alguns empregados simplesmente "explodem", viram as costas e vão embora, nem sempre é fácil discernir os verdadeiros motivos de uma saída. Em geral, ao pedir demissão um funcionário avisa seu superior com duas semanas de antecedência e oferece uma explicação geral a respeito dos motivos que o levaram a tomar tal decisão. Apesar de essas justificativas conterem alguma verdade, elas não devem ser encaradas como expressão exata do que gerou o pedido de demissão. Os empregados, geralmente, preferem manter "portas abertas" com seus chefes anteriores; assim

c - U.S. Bureau of Labor Statistics. (N.T.)

conseguem motivação a fim de evitar a revelação de quaisquer sentimentos negativos pela empresa.

As pesquisas sobre a saída de funcionários e a prevenção de rotatividade futura

A melhor maneira de realmente entender os motivos que levam à saída dos empregados é a administração confidencial de uma pesquisa de Saída de Funcionário. No lugar de entrevistas repletas de respostas maquiadas, uma avaliação quantitativa deve ser utilizada para mensurar a rotatividade por meio de dados. As pesquisas de Saída de Funcionários devem ser administradas a empregados que pediram demissão, idealmente antes do término de seu último dia de trabalho. Os instrumentos da pesquisa devem incluir informações demográficas como período de permanência e local/departamento, de modo que os empregados possam analisar as informações e agir de maneira mais estratégica sobre elas.

Essas pesquisas devem permitir que os colaboradores escolham o motivo de sua saída a partir de uma lista de possíveis razões. Os funcionários também poderão numerar os itens em ordem de importância, de maneira que os gestores consigam compreender claramente o processo de pensamento e o plano de ação desses colaboradores. Ademais, os dados da pesquisa de Saída de Funcionário devem ser correlacionados aos dados da pesquisa de Engajamento de Funcionários, separados em grupos menores, por departamento. Quando o *feedback* de um empregado se equipara ao *feedback* de um funcionário que está deixando a empresa encontramos, então, uma **área-chave para retenção**, bem como os setores que precisam **desesperadamente de melhorias**. A compreensão a respeito do que está estimulando a evasão leva a um melhor entendimento sobre o que irá incentivar futuras saídas voluntárias. Apesar de os gestores se considerarem cientes dos motivos por trás dos pedidos de demissão, eles geralmente ficam surpresos com as informações concretas fornecidas pelas pesquisas de saída de funcionários.

De acordo com o Instituto de Pesquisas HR Solutions, 37% dos funcionários recentemente pensaram em pedir demissão. Observe a Figura 4.2.

A resposta mais comum à pergunta: **"Por quais motivos você está considerando pedir demissão?"** é **"Outros"**. Para reduzir sua taxa de rotatividade, é importante que as empresas descubram o que está por trás da resposta "Outros". A HR Solutions vem investigando por muitos anos o que essa alternativa significa para os funcionários em nossos *focus groups*[d] relacionados a clientes. Três temas principais emergiram como "Outros" motivos para a demissão voluntária:

Figura 4.2 - Motivos para a consideração da demissão voluntária.

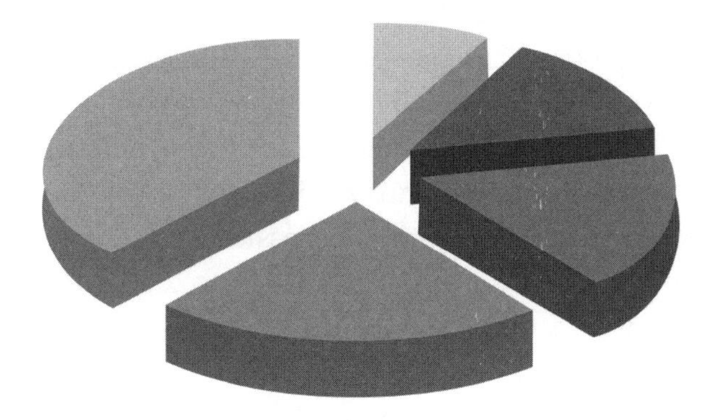

- Benefícios 3%
- Avanço na carreira 14%
- Meu supervisor/gestor 17%
- Salário 23%
- Outros 38%

---

d - *Focus group* ou, em português, "discussões de grupo" (ou "grupo de foco") é uma técnica utilizada na pesquisa de mercado qualitativa, na qual se emprega a discussão moderada entre 8 e 12 participantes. Discussões de grupo costumam durar entre uma hora e meia e duas horas e devem ser coordenadas por um moderador experiente. O moderador é também o facilitador da sessão, pois além de reger a sessão dentro dos seus moldes, ajuda o grupo a interagir. Os *focus groups* são usados para os temas mais diversos e, com frequência, são utilizados em testes da publicidade, testes de conceito e como pré-fase de estudos quantitativos maiores. (Fonte: Dicionário Babylon e Wikipédia) (N.T.)

1. Equilíbrio entre o trabalho e a vida particular.
2. Quantidade de profissionais *versus* carga de trabalho.
3. Estresse do trabalho.

Perceba que "Outros" geralmente se refere a uma combinação dos três motivos citados há pouco, pois eles se relacionam entre si. Além disso, todos esses fatores podem ser controlados pelo empregador, o que os torna evitáveis. Algumas adaptações culturais podem ser realizadas para eliminar os motivos que levam os funcionários a considerar o pedido de demissão; os gestores precisam apenas descobrir quais áreas apresentam espaço para melhorias. Cada organização é diferente, por isso é necessário efetuar uma pesquisa interna a fim de reunir informações e desenvolver um plano de retenção estratégico dirigido à própria força de trabalho.

Muitos dos colaboradores que pedem demissão não acham que tiveram uma experiência ruim ao trabalhar para a organização. Na verdade, 72% dos respondentes alegam ter vivenciado uma experiência positiva, ou mais ou menos positiva, na organização.[8] Essa descoberta torna ainda mais vital a necessidade de entendimento completo por parte da administração das razões da demissão voluntária, tendo em vista que a saída nem sempre ocorre por causa de experiências negativas.

Os avisos iniciais de demissão voluntária geralmente são vistos em resultados de pesquisas de engajamento de funcionários. Respostas negativas aos seguintes itens correlacionam-se mais à rotatividade:

- Estou satisfeito com meu programa de trabalho.
- Ganho um salário justo pelo trabalho que realizo.
- Recebi uma síntese sobre a estratégia, a missão, a cultura e a filosofia da organização.
- Utilizo meus conhecimentos e habilidades no trabalho que realizo.
- Fui informado sobre o processo de revisão de desempenho no trabalho.

A baixa pontuação nesses itens deve ser considerada como um motivo de atenção pelas empresas, de modo que ações corretivas sejam colocadas em prática a fim de engajar completamente ou reengajar um bom funcionário. Um nível muito alto de **ambivalência** também configura risco de rotatividade, considerando que funcionários ambivalentes demonstram grande facilidade em deixar um emprego por outro que pague um único real a mais por hora.

Outra hipótese comumente equivocada a respeito da rotatividade de pessoal diz respeito ao período total entre a consideração da própria demissão pelo trabalhador e a real saída da empresa. Muitas pessoas acreditam que os empregados pensam na decisão durante muitos meses antes de resolver de fato deixar a empresa. No entanto, esse tempo é muito mais curto do que se imagina. Dos funcionários que pedem demissão, 40% dizem que começaram a considerar sua saída menos de dois meses antes de deixar a empresa de fato.[9] Essa informação mostra a importância de se agir imediatamente quando os empregados começam a demonstrar sinais de desencantamento para com o trabalho. Os administradores não devem esperar até que os empregados entrem na fase de ambivalência. Ao contrário, os gestores devem ser proativos, se reunir a fim de discutir o compromisso do funcionário para com a organização e realizar *brainstorms* no sentido de encontrar meios de reconstruir o engajamento, dando um passo de cada vez.

O ingrediente-chave

O recrutamento é um processo multifacetado que não termina quando o funcionário recebe a proposta de emprego. As empresas que realmente dispõem de CM estão sempre trabalhando com o intuito de atrair e, mais importante, de **reter a própria equipe**. As pessoas são o ingrediente-chave para o sucesso corporativo, e o recrutamento tático e perspicaz é um importantíssimo alicerce.

Capítulo 5

Superando desmagnetizadores: a compensação e outros desafios para gestores

"Dwight, deixe-me explicar uma coisa a você. Eu crio as regras e você as segue. De olhos fechados, OK? E se você tiver algum problema quanto a isso, fale com nosso departamento de Reclamações: a lata de lixo."

-Michael Scott, da série de TV *The Office*

Graças a Deus, Michael Scott é apenas um personagem fictício. Os entusiastas da série *The Office* adoram os cacarejos de Michael Scott, mas certamente não gostariam de trabalhar para ele. O ator Steve Carell interpreta um chefe tão palerma em se tratando de gerenciamento que as ações dele tornam o seriado aparentemente absurdo. Entretanto, após tantos anos prestando consultoria a centenas de organizações, posso dizer, com honestidade, que alguns dos diálogos utilizados em tal série de TV são mais **realistas** do que qualquer pessoa **gostaria de acreditar**.

Os gestores são uma das peças-chave para o engajamento dos funcionários. Não é fácil orientar outros indivíduos e se tornar parcialmente responsável pelo progresso e pelo sucesso deles. As pessoas são complexas e diferentes umas das outras. É necessário muito trabalho, dedicação e "habilidade com pessoas" – uma qualidade intangível que muitos gerentes não têm – para se relacionar com os funcionários e se conectar a eles de maneira individual. Felizmente, as habilidades sociais necessárias para tornar-se um bom gestor podem ser divididas em etapas lógicas e em boas práticas. Desse modo qualquer um pode aprimorar sua destreza comunicacional e elevar o grau de engajamento de seus subordinados diretos.

Como se os desafios inerentes ao relacionamento com as pessoas não bastassem, os riscos referentes ao gerenciamento de outros indivíduos podem ser elevados. Os funcionários são, de muitas maneiras, o reflexo de seu próprio gerente. Quando os funcionários apresentam desempenho fantástico e o departamento parece funcionar perfeitamente, é **maravilhoso ser um gestor**. Em contrapartida, quando os funcionários mostram disposição negativa e produzem um trabalho de baixa qualidade, não é tão estimulante ser a pessoa responsável por tal problema. Tornar-se gestor é como ter um emprego elevado ao quadrado: o sucesso irá lhe garantir benefícios consideráveis, mas o fracasso lhe será muito prejudicial.

Se você comprou este livro, provavelmente já pesou os custos e os benefícios de se tornar um gestor e decidiu encarar a empreitada. Aplaudimos suas convicções de liderança. Este capítulo irá ajudá-lo a tornar-se ainda melhor no que faz.

As vantagens e os desafios dos diversos setores

Os gestores constantemente confrontam desafios, muitos dos quais são o resultado direto do setor em que trabalham. Dependendo do segmento do negócio, certos aspectos do trabalho naturalmente contribuem para o engajamento de funcionários, enquanto outros podem reduzi-lo se não forem bem administrados. É muito importante que os gestores entendam as vantagens e os desafios do ramo de negócio em que trabalham e os coordenem de maneira adequada. A incorporação de novas boas práticas pode fazer uma enorme diferença entre capitalizar sobre um propulsor de engajamento e deixá-lo tornar-se lesivo ao sucesso geral.

A partir da análise de alguns itens de uma pesquisa realizada pelo Instituto de Pesquisas HR Solutions revelamos os altos e baixos de vários ramos de atividade. Essas normas ilustram que, quando o assunto é engajamento, os gerentes velejam suavemente por certos setores, enquanto em outros encontram dificuldades. Quando os gestores entendem de que maneira seu ramo de negócio trabalha o engajamento, eles são capazes de motivar e engajar seus subordinados diretos.

Após o título de cada um dos cinco itens da pesquisa, que serão discutidos ao longo das próximas páginas, revelamos uma lista de resultados relativos às respostas a tais questões e uma discussão a respeito de seus significados para os gerentes.

Questão 1 – "Meu trabalho possibilita que eu realize aquilo que sei fazer de melhor."

Média de todos os setores: 73% afirmativo
Setor de cuidados com a saúde: 78% afirmativo
Setor fabril: 51% positivo

Vantagens

Os funcionários do segmento de cuidados com a saúde respondem a essa questão de maneira mais favorável que os empregados dos demais setores porque muitas das pessoas que escolhem trabalhar na área da saúde alcançam satisfação intrínseca por cuidar de outros indivíduos. Esses trabalhadores se sentem **cuidadores naturais** e carregam essa identidade consigo dentro e fora da empresa, definindo quem realmente são. Ao interagirem com os pacientes, os funcionários da área da saúde agem à luz de seus valores mais profundos, o que lhes permite atuar sobre sua paixão mais íntima a fim de realizar aquilo que melhor sabem fazer: **cuidar de outras pessoas**.

Desafios

Os segmentos que não se conectam nesse mesmo grau com a personalidade e a individualidade das pessoas enfrentam problemas muito maiores relacionados a esse propulsor de engajamento. Por exemplo, os empregados do setor fabril referem um resultado muito mais baixo nesse item que os funcionários de qualquer outro ramo. Os trabalhadores fabris geralmente realizam o mesmo tipo de tarefa especializada todos os dias, em especial aqueles que trabalham em linhas de montagem. Os serviços, na maior parte das vezes, são braçais e não necessitam de grande envolvimento intelectual ou tomada de decisão. Sem ter a oportunidade de acrescentar seu próprio conhecimento intelectual ao trabalho, e pela falta de estimulação mental, é possível que esses funcionários comecem a sentir que qualquer pessoa é capaz de realizar seu serviço. Essa percepção poderá levá-los a questionar-se se estão de fato trabalhando em seu completo potencial e realizando o melhor que conseguem.

À parte as grandes contribuições do setor de tecnologia da informação (TI), este é um dos segmentos que geralmente também apresenta pontuação abaixo da média nesse quesito. A tecnologia avança a uma taxa exponencial, o que dificulta o acompanhamento das últimas versões dos produtos por parte das companhias. Tendo em vista que os produtos mais novos dispõem de mais recursos, trabalhar com esses equipamentos geralmente ajuda os profissionais de TI a executar seu trabalho utilizando ao máximo suas habilidades. Além disso, muitos trabalhadores da área de TI se orgulham por saber todas as particularidades dos novos produtos. Quando uma organização não dispõe da tecnologia mais atualizada, os funcionários desse setor se sentem impedidos de utilizar todas as suas aptidões. Os gerentes da área de TI devem ajudar seus subordinados a se concentrar na especialização de programas bastante utilizados e enfatizar o valor de tal conhecimento.

Melhores práticas

Com relação à resposta dada à primeira questão da pesquisa, seguem algumas boas práticas que os gestores da área de TI podem utilizar:

- Os gerentes precisam descobrir quais são os interesses dos seus funcionários. Ao saber do que os empregados gostam e em que acreditam ter bom desempenho, os gerentes conseguem lhes fornecer oportunidades individuais mais adequadas.
- Os funcionários devem realizar tarefas específicas sempre que possível. O treinamento multifuncional também pode ajudá-los a reconhecer em que posição se sobressaem, além de promover o prazer pelo próprio trabalho.
- As organizações devem incorporar um programa de *mentoring* para que os funcionários mais experientes orientem os novos colegas de trabalho. Muitas pessoas gostam de ensinar outras e ajudá-las a incrementar suas habilidades. A oportunidade de auxiliar os colegas no serviço é capaz de ampliar a percepção dos empregados de que uma tarefa que poderia ser monótona lhes permite realizar o que sabem fazer melhor.

Questão 2 – "Esta empresa se empenha em ajudar seus funcionários a se aprimorar."

Média de todos os setores: 64% afirmativo
Setor de arquitetura e construção: 71% afirmativo
Setor de restaurantes: 20% afirmativo

Vantagens

Os trabalhadores do segmento de arquitetura e construção responderam de maneira mais favorável a esse quesito, alcançando a concordância em 71%. Nesses setores os empregadores conseguem perceber melhoria imediata nos resultados quando seus funcionários aprimoram suas habilidades. Os funcionários aprendem a avaliar de maneira mais eficaz as necessidades dos diferentes projetos e os serviços são realizados mais rapidamente e com menos erros. Os empregadores, por sua vez, se beneficiam muito do aprimoramento das habilidades e dos conhecimentos de seus empregados, portanto, devem tornar o **desenvolvimento de talentos** uma **prioridade**.

Desafios

Os trabalhadores do setor de restaurantes têm uma percepção extremamente reduzida em relação ao empenho da empresa sobre o aprimoramento deles; apenas 20% dos funcionários desse segmento afirmam a existência desse esforço por parte da organização. Considerando que essa pontuação é muito mais baixa nesse setor que em qualquer outro é importante avaliar o motivo dessa divergência. Por que os gerentes do ramo de restaurantes não investiriam tempo tentando ajudar seus empregados a se aprimorar? Poderíamos deduzir que os gerentes de restaurantes não acreditam que esse tipo de organização tem muito a ganhar com iniciativas dessa natureza.

Muitos funcionários de restaurantes têm ambições totalmente diferentes do trabalho que realizam. Enquanto algumas pessoas querem abrir seu próprio restaurante, tornar-se *chefs* ou planejar grandes eventos gastronômicos, outras não enxergam um futuro tão promissor para si dentro da empresa em que trabalham, nem mesmo no segmento. (Esses sentimentos são demonstrados pelo alto índice de rotatividade da área.) De fato, muitos empregadores reconhecem que seus *hosts* (recepcionistas), garçons e outros provedores de serviços como os cozinheiros, os responsáveis pela limpeza etc., não terão longos planos de carreira nessas empresas. Nesse sentido, eles demonstram menos interesse em investir no desenvolvimento desses talentos por correrem o risco de perder o que aplicaram se os funcionários pedirem demissão antes que o restaurante consiga **retorno sobre esse investimento** (ROI).

Em contrapartida, muitas empresas não se concentram no desenvolvimento de talentos até que seus colaboradores permaneçam certo período de tempo na organização ou alcancem determinado nível dentro delas. Ao agir desse modo, tais organizações perdem no engajamento e na retenção de trabalhadores menos experientes que dispõem de alto potencial, já que eles decidem deixar a companhia por melhores oportunidades de desenvolvimento.

A questão é que o engajamento de funcionários vale seu investimento em todos os seus níveis e em todos os setores. As organizações que não priorizam o desenvolvimento de talentos arriscam-se a enfrentar o **desengajamento** e a **rotatividade de pessoal**.

Melhores práticas

Algumas das melhores práticas para os gerentes em resposta à questão 2 da pesquisa incluem:

- Os gerentes devem perguntar a seus empregados quais habilidades eles gostariam de aprimorar. Você pode se surpreender com o que vai ouvir. É melhor não pressupor as metas e os sonhos de outras pessoas; todos os gerentes devem conversar com seus subordinados diretos. Minha melhor prática pessoal é conversar diretamente com meus funcionários uma vez por mês para descobrir o que eles aprenderam nos últimos trinta dias e o que gostariam de aprender nos próximos trinta dias. Adiciono as informações em um lembrete em minha agenda eletrônica para não me esquecer de verificá-las regularmente. Eu acredito que quando você sabe exatamente o que os membros de sua equipe querem aprender, ou no que gostariam de adquirir mais experiência, torna-se mais fácil utilizar esse propulsor de engajamento. A melhor prática **"checar aprendizagem"** também serve para lembrar os colaboradores que eles de fato estão aprimorando seu conhecimento profissional e realizando progressos.
- Para engajar jovens trabalhadores, ofereça-lhes oportunidades de construir um bom currículo. Um serviço visto como

temporário pelo funcionário pode se transformar em uma posição bastante duradoura se as oportunidades certas forem apresentadas. Considere a criação de um programa de estágio para estudantes e jovens aprendizes que somente poderá ser oferecido a funcionários com no mínimo um ano de experiência dentro da empresa. Esses programas costumam engajar jovens ambiciosos e dedicados a metas de carreira de longo período.

Questão 3 – "Eu geralmente saio do trabalho com um sentimento de realização pelo trabalho que conclui naquele dia."

Média de todos os setores: 71% afirmativo
Setor de serviços profissionais: 81% afirmativo
Setor de cassinos/Jogos: 63% afirmativo

Vantagens

Os trabalhadores do setor de serviços profissionais referem a pontuação mais alta nesse quesito, com 81% dos funcionários se mostrando favoráveis a essa afirmação. Essa categoria inclui organizações cujos produtos e serviços são baseados em *expertise* profissional, ao contrário de apenas produtos ou serviços. Os funcionários desse ramo de atividade em geral são especialistas de campo que utilizam ativamente seu conhecimento, sua formação e sua experiência profissional o dia todo e todos os dias. Esse tipo de experiência de trabalho evoca em muitas pessoas um sentimento de realização.

Desafios

Instilar um senso de satisfação nos funcionários pela conclusão de tarefas pode ser bem mais desafiador para os gerentes de segmentos que não oferecem esse sentimento "prazeroso" de realização de maneira tão óbvia ou imediata. Por exemplo, apenas 63%

dos empregados do setor de cassinos/jogos nos EUA responderam afirmativamente quando questionados sobre ir para casa no fim do dia de trabalho com um sentimento de realização. Apesar de ser muito estimulante contribuir para que um visitante acerte o grande prêmio ou tenha férias maravilhosas, também deve ser bastante difícil testemunhar o desespero das pessoas que **perdem dinheiro**. Tendo em vista que as estatísticas de tal ramo de negócio demonstram que a **maioria** das pessoas **perde**, essa realidade pode diminuir o sentimento de realização dos empregados a respeito de um bom dia de trabalho.

Melhores práticas

Algumas das melhores práticas para os gerentes, levando em consideração a **questão 3**, são:

- Conecte os empregados com a melhor parte da empresa. No setor da hospitalidade os funcionários contribuem diretamente para que os hóspedes tenham uma estada prazerosa e memorável. As organizações devem considerar a disponibilização de um livro de visitas a seus clientes para que estes compartilhem suas opiniões, especialmente as interações que tiveram com sua equipe. Esses resultados devem ser partilhados com os colaboradores para ilustrar que o trabalho deles é importante e apreciado. O *feedback* positivo também pode ser colocado em quadros de aviso nas áreas destinadas aos funcionários ou na página da Intranet da empresa, de modo que esses bons comentários se mantenham vivos na mente de todos. Ao terminarem o dia de trabalho, os empregados devem ser encorajados a relembrar todas as ações pessoais que geraram benefícios, tanto na ajuda aos hóspedes quanto aos colegas de trabalho.
- As empresas do setor de varejo geralmente também enfrentam dificuldades em relação ao sentimento de realização de seus

funcionários. Uma boa maneira de elevar esse propulsor de engajamento é conectar os funcionários a iniciativas filantrópicas. Muitas vezes as companhias do segmento de varejo doam um percentual de suas vendas a obras de caridade ou perguntam a seus clientes, no final do processo de venda, se eles gostariam de doar uma pequena quantia em dinheiro para uma organização sem fins lucrativos. Os gerentes devem calcular o valor total que os funcionários ajudaram a arrecadar para doação à caridade e comunicar esse montante a todos os empregados regularmente. Ao saber que seu empenho está fazendo a diferença por ajudar em uma boa causa, os funcionários provavelmente irão experimentar um sentimento de realização.

Questão 4 – "Eu gostaria de ser um cliente dessa organização."

Média de todos os setores: 72% afirmativo
Setor de administração de imóveis: 89%
Setor de educação: 51%

Vantagens

Esse quesito certamente diz muito a respeito de uma empresa ou de um setor em geral. Uma resposta positiva a essa questão sugere sinal verdadeiro de que uma empresa está fornecendo produtos e serviços de qualidade e que seus funcionários a escolheriam no lugar de seus concorrentes. O *feedback* positivo demonstra que os colaboradores querem contribuir para o sucesso da organização, o que significa o maior sinal de engajamento. O setor cujos trabalhadores se mostram mais favoráveis à questão 4 é a de administração de imóveis (agentes imobiliários e empresas de *leasing*/locação), em que 89% dos funcionários afirmam que gostariam de ser clientes da empresa em que trabalham. Pessoalmente, considero essa estatística interessante, levando em conta que ela se mostra bem mais "prestigiada" que em outros ramos de atividade.

O que acontece nas empresas de administração de imóveis que gera um serviço ao consumidor tão excepcional? O resultado da pesquisa corresponde à responsabilidade e à dependência que seus funcionários têm em relação ao sucesso da satisfação de seus clientes. Grande parte da remuneração dos muitos trabalhadores da área de administração de imóveis vem de **comissões**. Para ganhar as comissões, eles precisam agradar seus clientes a ponto destes decidirem alugar ou comprar um imóvel por meio da agência em que trabalham, em vez de procurar um concorrente. Desse modo, os empregados se sentem profundamente motivados a se superar e ir além para encontrar exatamente o que o cliente deseja.

Ademais, muitos gerentes desse segmento definem seu próprio rosto como sua marca corporativa. Nos EUA, pode-se encontrar literalmente a foto dos gerentes imobiliários nas placas de "Vende-se" afixadas nos imóveis. Quando se responsabilizam a esse ponto por seu próprio desempenho, os funcionários têm maior probabilidade de fornecer um serviço excepcional e realizar sempre o melhor que são capazes. O modelo de negócio de administração de imóveis naturalmente gera um nível exemplar de serviços ao cliente.

Desafios

Infelizmente, quando questionados sobre se gostariam de ser clientes em sua própria organização os trabalhadores do setor de educação respondem de maneira menos favorável que qualquer outra área de atuação. (Para este setor, consideramos os estudantes como "clientes".) **Apenas 53%** dos funcionários gostariam de assistir aulas na escola em que trabalham. Essa estatística é **desalentadora**, se considerarmos que a educação formal é a base para o sucesso profissional futuro. Se uma grande porcentagem de empregados em uma organização, ou, nesse caso, de um segmento, não apreciaria ser cliente de sua própria empresa, existe aí um sério problema que precisa ser abordado!!!

Mas não tire conclusões precipitadas deduzindo que o problema com a educação é a qualidade dos professores. Essa questão é polêmica para muitas pessoas, tendo em vista que a educação afeta profunda e completamente a sociedade e que já foi comprovado que muitas faculdades não conseguiram preparar seus alunos de maneira eficaz para que obtivessem sucesso no futuro. Considerando que os professores são os empregados que finalmente prestam o serviço de educação, são eles que levam a culpa quando os resultados se mostram abaixo da média. Em vez de procurarmos alguém a quem culpar, foquemos nas possíveis oportunidades de melhoria. Assim como quando esse problema ocorre em qualquer outro ramo de negócio, é essencial examinar se os membros da equipe estão sentindo falta de apoio e/ou recursos de que precisam para fornecer serviços de qualidade, ou, nesse caso, educação de qualidade.

Existe uma tendência considerável no que se refere às dimensões e às questões que alcançam baixos resultados nas pesquisas. A percepção dos funcionários do setor de educação é a menos favorável em relação aos seguintes tópicos: equipe de administração e políticas, suprimentos e recursos, comunicação organizacional e treinamento adequado. Outros segmentos e companhias particulares podem apresentar tópicos diferentes que ilustram porque seus colaboradores não gostariam de ser seus clientes. Estrategicamente, faria sentido que a equipe da alta administração instituísse um plano de ação sobre essas importantes dimensões para estimular uma mudança positiva.

Melhores práticas

No que se refere aos resultados da questão 4, os gerentes devem observar as seguintes melhores práticas:

- Os empregadores de todos os segmentos de negócio devem priorizar o aprimoramento dessa percepção dos funcionários, já que a marca campeã mais influente de uma organização é justamente sua equipe de trabalho. Quando alguém fala do próprio empregador, as pessoas ouvem com o coração. Se um amigo lhe contasse que o restaurante no qual ele trabalha não é muito bom, você jantaria lá? **Claro que não!** Você recomendaria a outras pessoas que não fossem lá, se tal assunto surgisse? Provavelmente. Se seus próprios colaboradores não gostariam de ser seus clientes, isso não somente prejudica o engajamento desses indivíduos, mas é péssimo para os negócios.

- Quando possível, permita que seus empregados experimentem a posição de cliente. Essa atitude possibilitará à sua equipe entender a perspectiva do consumidor e, assim, imaginar outras maneiras de fornecer melhores serviços. Por exemplo, os restaurantes devem permitir que seus garçons experimentem os itens do cardápio gratuitamente de modo que eles possam descrever melhor os sabores para os clientes. Os hotéis podem oferecer descontos para encorajar sua equipe a se hospedar por uma noite para que possam experimentar o conforto oferecido. Para organizações *business to business* (B2B),[a] em que não seria prático que os funcionários se tornassem clientes, a empresa pode lhes fornecer um "guia do cliente de A a Z" que mostre toda a experiência do consumidor, do início ao fim. Esta também é uma melhor prática para estimular os empregados a sugerir melhorias. Pergunte aos funcionários o que precisa ser mudado para permitir que eles forneçam melhores serviços ao cliente. Essa melhor prática é uma maneira óbvia de se atacar o problema, porém, muitas vezes ela é negligenciada. Os funcionários que têm contato direto com os clientes devem entender muito bem o que está funcionando e o que pode ser melhorado para elevar a satisfação e a lealdade do consumidor.
- Dê aos colaboradores a oportunidade para que se expressem anonimamente sobre por que eles gostariam, ou não, de

a - Tipo de negócio que privilegia as relações comerciais diretas entre empresas por meio de plataformas tecnológicas na internet. (N.T.)

ser clientes da empresa. Os gerentes terão acesso a mais informação quando os trabalhadores se sentirem confortáveis para falar a verdade.

Questão 5 – "A empresa fornece aos seus clientes o que promete em seus anúncios."

Média de todos os setores: 72% afirmativo
Setor de seguros: 83% afirmativo
Setor bancário: 81% afirmativo
Setor de telecomunicações: 46% afirmativo

Vantagens

A questão 5 nos proporciona uma boa noção sobre como os colaboradores se sentem a respeito da companhia no que se refere à ética e à confiabilidade dos negócios. Para que se alinhem à missão e à estratégia de seu empregador, é primordial que os funcionários acreditem que a empresa de fato fornece o que promete a seus consumidores.

É tranquilizador saber que os trabalhadores dos segmentos de seguros e bancos respondem tão afirmativamente a essa questão alcançando, respectivamente, 83% e 81%. Muitas leis regulam exatamente o que as instituições financeiras devem dizer a seus clientes, o que motiva os empregados desses ramos de atividade a se sentirem mais seguros sobre a transparência de sua empresa a respeito dos serviços que oferecem. Os gerentes desses setores têm a vantagem de trabalhar com funcionários que acreditam na honestidade dos produtos e serviços fornecidos pela companhia, o que possibilita a construção da confiança geral na organização.

Desafios

Muitas pessoas não se surpreendem com o fato de os trabalhadores da área de telecomunicações se sentirem menos seguros em relação a esse item que os empregados de quaisquer outros setores – apenas

46% são favoráveis à questão. Considere sua experiência pessoal com a Internet, a TV a cabo e as contas de telefone – você já deve ter se sentido confuso ou ludibriado por seu provedor de serviços em algum momento! O segmento de telecomunicações é extremamente competitivo e oferece uma variabilidade limitada em seus produtos. A fim de ganhar mercado, as companhias de telecomunicação, em geral, se diferenciam umas das outras nos preços e nas opções de serviços oferecidos. Mas, ao longo do tempo, os planos disponibilizados têm se tornado cada vez mais complicados, gerando assim interpretações equivocadas por parte dos usuários. Apesar de as companhias provavelmente fornecerem a informação correta para seus vários planos de serviços, muitas vezes suas mensagens dão destaque às melhores características de seus produtos e serviços, enquanto o "anzol" fica escondido nas letras miúdas dos contratos. Embora as ações dessas empresas sejam (geralmente) legais, a ética que as embasa não é muito clara.

O gerenciamento dessa área um tanto nebulosa da ética da propaganda gera impacto sobre a gestão de talentos. Funcionários bons e honestos podem, finalmente, deixar o emprego se sentirem que a organização mente para seus clientes. Além disso, existe uma **grande possibilidade** de que eles partilhem o motivo do pedido de demissão com seus contatos pessoais. Por fim, a companhia não sofre apenas a perda de um empregado; ela perde potenciais clientes e trabalhadores que agora acreditam que a empresa é desonesta.

Melhores práticas

Com relação aos resultados da questão 5, os gerentes devem observar as seguintes melhores práticas:

- **"A honestidade é a melhor política."** Tenho certeza de que você já ouviu isso antes, mas, em se tratando de funcionários e clientes, essa máxima certamente é verdadeira. A tentativa de mascarar os aspectos menos desejáveis de um produto ou serviço irá gerar falta de confiança na organização por parte dos empregados e dos clientes.

- Reconheça quando perceber que algo pode ter gerado confusão para o consumidor ou para o empregado. Admitir um possível erro e assumir a responsabilidade por ele passa uma mensagem positiva e gera confiança nas pessoas.
- Dê um bom exemplo aos seus funcionários assumindo a responsabilidade por prestar contas. Quando um executivo ou gestor admite seus próprios erros, um funcionário se sente muito mais à vontade para fazer o mesmo.

Todos os ramos de atividade apresentam aspectos vantajosos e desvantajosos para o engajamento de funcionários. Ao entender as áreas que irão requerer mais atenção e sutileza, os gerentes podem planejar suas ações no sentido de assegurar que as iniciativas adequadas sejam implementadas. Agora que já observamos um bom número de vantagens, desafios e melhores práticas em diversos segmentos, vamos explorar outro obstáculo, difícil e complexo, que os gerentes encaram no que se refere à motivação e ao engajamento dos funcionários: a compensação.

A compensação

Em 1976, Jackson Browne escreveu uma música chamada *The Pretender* (*O Pretendente*), em cuja letra ele narra a história de pessoas que, ao perseguirem um salário e um estilo de vida material, perderam de vista seus sonhos. Esse suposto "acordo" entre felicidade e dinheiro infelizmente precisa ser celebrado por muitas pessoas.

A **compensação** pode se tornar a força que motiva o funcionário a desempenhar seu papel ou o agente que o estimula a procurar por novas oportunidades de emprego. Ao mesmo tempo em que precisam manter o orçamento nos trilhos, os gestores têm o desafio de prover compensação justa, ou até generosa, a seus subordinados.

Contudo, manter esse equilíbrio nem sempre é fácil. Felizmente, a remuneração em si não é um propulsor de engajamento tão importante, todavia, a compensação afeta o engajamento de uma maneira muito mais profunda que a quantia em salário recebida por um empregado.

O salário é mais bem considerado quando um indivíduo está se candidatando a um emprego e examinando uma oferta de vaga. As pessoas, em geral, costumam aceitar as ofertas de trabalho que mais se aproximam monetariamente de sua pretensão salarial. Ao longo do tempo, é claro que os funcionários também esperam receber aumentos salariais e bônus, mas sua satisfação não gira somente em torno de dinheiro. Os empregados querem ser compensados de maneira justa pelo serviço que realizam. Se assumem cargas de trabalho mais pesadas com projetos mais difíceis, esperam receber compensação adicional por seu empenho. Parte dessa compensação pode ser monetária, mas, muitas vezes, o **reconhecimento** se mostra tão importante quanto um valor extra em dinheiro. Como descrito no Capítulo 3, o reconhecimento é o propulsor de engajamento mais importante. Tendo isso em mente, uma promoção que inclua uma mudança no título do cargo do funcionário pode ser tão significativa quanto um aumento no salário, senão mais importante.

Ademais, uma grande parte do julgamento do funcionário quanto à própria compensação está associada à sua percepção de justiça. Se alguns funcionários acreditam trabalhar mais e produzir serviço de qualidade superior ao de um colega específico, eles certamente devem esperar receber mais que o tal colega.

Os empregados de alto desempenho representam a parcela da mão de obra com potencial mais elevado para deixar a empresa em função da opinião que têm a respeito da própria compensação. Depois de vencer o desengajamento, quando a remuneração de todos é praticamente congelada, essa valiosa parte de sua equipe com certeza se mostrará mais frustrada pelas recompensas meritórias e pelo salário recebidos. Esses indivíduos especiais trabalham duro e produzem ótimos resultados mesmo quando a companhia passa por tempos difíceis. Naturalmente, eles gravitam entre percepções como: "Por que estou me esforçando tanto e mostrando um desempenho tão alto se não estou sendo recompensado na mesma medida?" Esses funcionários conhecem o próprio valor, e se não estiverem sendo tratados à altura certamente irão procurar por isso em outro lugar. Nesse sentido, empregadores perspicazes, experientes e magnéticos fazem um esforço extra para assegurar que esses empregados recebam atenção especial em termos de compensação.

De que maneira a remuneração afeta o engajamento

Para melhor entendermos de que modo a remuneração afeta o engajamento, precisamos considerar as experiências pessoais dos indivíduos. Muitas pessoas, em algum momento da vida, já conversaram com alguém da família ou mesmo com amigos que se sentiam frustrados a respeito do próprio salário. Ao verbalizarem sua frustração, essas pessoas provavelmente disseram algo do tipo:

- "Eu trabalho tanto, me esforço à beça no meu emprego, mas ninguém nem percebe. Eu mereço mais dinheiro."
- "Meu gerente acha que meu colega de trabalho é o máximo; aposto que ele ganha muito mais que eu para fazer o mesmo serviço."
- "Tenho recebido o mesmo salário nos últimos quatro anos. Não tenho oportunidades para avançar nessa empresa. Estou travado nessa posição."
- "Eles contrataram um novo funcionário com pouca experiência para realizar o mesmo serviço que eu realizo, e pagam e ele o mesmo que a mim! Essa empresa não valoriza a experiência."

Todos esses relatos devem lhe parecer familiares, mas note como todos eles envolvem questões diferentes além da remuneração. Você já ouviu alguém comentar algo do tipo: "Eu recebo atualmente R$ 42.500 por ano, contudo, para mim é muito importante alcançar R$ 44.500 anuais. Na verdade, eu não ficarei feliz em minha posição até que meu salário aumente em R$ 2.000 anuais"? Em resposta a essa colocação, você poderia perguntar se a pessoa precisa desse dinheiro extra para algo muito específico. No caso de uma resposta negativa, talvez seja uma boa ideia perguntar se o indivíduo gosta do emprego que tem. Por outro lado, se a resposta for afirmativa, você poderia salientar que: **"R$ 2.000 anuais não representariam uma grande diferença no salário mensal e que existem outros aspectos muito mais importantes em um trabalho do que um pequeno extra em dinheiro."** É obvio que todos gostariam de um salário mais alto, mas é fundamental observar o cenário completo. (cujos aspectos estão demonstrados nos dez propulsores de engajamento mais importantes discutidos no Capítulo 3.)

Após a condução de milhares de avaliações de funcionários, a HR Solutions estabeleceu um parâmetro de comparação para uma grande variedade de tópicos relacionados à empregabilidade. É interessante verificar a tendência na classificação normativa para os diferentes itens da pesquisa, tendo em vista que alguns deles propendem a pontuações muito mais favoráveis que outros. Em geral, a percepção dos funcionários em termos de remuneração é apenas 42% favorável, muito mais baixa, portanto, que qualquer outra dimensão concernente ao emprego. Essa afirmativa é verdadeira tanto para segmentos nos quais os colaboradores recebem salários comparativamente altos, como no setor financeiro, quanto para os ramos de negócio em que a remuneração geralmente é baixa, como no varejo; isso mostra que o pagamento é um ponto de frustração para todos.

Lapidando as percepções relativas à remuneração

A compensação monetária é o último tabu ao qual as pessoas se referem durante uma conversa. Durante um jantar, por exemplo, muitos prefeririam mexer e remexer a própria refeição no prato que perguntar diretamente a alguém quanto esse indivíduo ganha por mês. **O salário se tornou um assunto mais pessoal que a visão política, a religião ou até mesmo o peso das pessoas**. Levando em consideração que geralmente não se fala sobre remuneração nos círculos sociais, as pessoas tendem a assumir que os outros estão totalmente satisfeitos com o próprio pagamento, o que muitas vezes não é verdade. Esse tabu também se configura no local de trabalho no que se refere à opinião dos colegas a respeito da compensação. É fácil assumir que os outros estejam satisfeitos com a própria remuneração, o que talvez signifique que estejam ganhando um salário melhor. Mais uma vez, este pode não ser o caso. Tais suposições levam à insatisfação no que se refere à justiça, o que pode se tornar um forte desmagnetizador para o talento individual.

Alguns indivíduos pensam que muitos funcionários nunca irão se sentir satisfeitos com o próprio salário, uma vez que, independentemente do quanto já estejam ganhando, sempre desejarão mais. Embora isso possa ser verdade para uma pequena porcentagem de empregados, a maior parte da insatisfação deriva da comunicação da estratégia de compensação organizacional e das percepções de justiça. Muitas vezes, a satisfação pelo salário pode ser melhorada mesmo sem um real aumento nos vencimentos do funcionário.

Por favor, não tome isso como uma sugestão para não pagar um salário competitivo a seus empregados. Remunerar os trabalhadores de maneira justa, ou generosa, pelas qualificações apresentadas e pelas contribuições feitas à empresa é parte essencial de uma CM. No entanto, se você não informar seus funcionários sobre o embasamento utilizado pela empresa para justificar a remuneração, sua organização não alcançará todos os benefícios em se mostrar uma boa remuneradora.

A filosofia de remuneração

"O dinheiro não é capaz de comprar a felicidade, tampouco a pobreza conseguirá fazê-lo."

- LEO ROSTEN, ESCRITOR E ACADÊMICO

A filosofia de remuneração representa o ponto de vista de uma empresa sobre a metodologia utilizada para determinar a compensação monetária de seus empregados. Ela mostra aos funcionários o critério utilizado para a definição de salários, aumentos e bônus. Uma boa filosofia de remuneração assegura que os trabalhadores sejam compensados de maneira justa e estimula um ambiente de confiança na liderança sênior. Infelizmente, 42% dos empregados não entendem a filosofia de remuneração da companhia em que trabalham (isso talvez se deva ao fato de 39% das organizações nem mesmo disporem de uma filosofia de remuneração por escrito[1]). Para aprimorar as percepções relativas a esse assunto, as empresas devem definir sua filosofia de remuneração e comunicá-la claramente.

É comum o mal-entendido de que revelar muita informação a respeito de remuneração aos funcionários pode gerar tensão no local de trabalho devido à comparação de salários que os colaboradores poderão fazer. Na realidade, as companhias não precisam relatar os valores que os empregados receberam em cada uma das funções que desempenharam, mas, em vez disso, uma **faixa de valores** geralmente pagos a essas posições.

Além disso, as organizações devem declarar a estratégia geral para determinação da remuneração em toda a companhia. Por exemplo, a estratégia de uma empresa pode ser a de pagar a seus funcionários 10% mais que o salário médio para a posição no mercado de trabalho. Essa filosofia pode se tornar a base para avaliar a compensação e analisar se a empresa está no caminho certo. Ao tornar transparente a filosofia de remuneração, a empresa permite que seus funcionários entendam que estão sendo compensados de maneira justa por seu trabalho duro.

O primeiro passo que as organizações podem tomar para elevar a transparência de seu programa de remuneração é partilhar informações precisas de mercado com seus funcionários a respeito da escala salarial de empregos similares. Se as empresas não fornecem esses dados para embasar seus programas, os trabalhadores começam a procurar essas informações em outros lugares. Atualmente, existem diversos *sites* na Internet que dizem fornecer informações exatas a respeito de médias salariais, mas esses dados podem, na verdade, desorientar os trabalhadores e contribuir para percepções erradas. Os empregadores devem prevenir essa confusão mostrando a seus funcionários informações exatas e atualizadas sobre os salários por seus pares em um mesmo ramo de atividade.

O mesmo se aplica a aumentos salariais. É importante informar aos empregados de que maneira seus aumentos de salários se comparam aos de funcionários da mesma categoria em outras organizações. Por exemplo, um dos clientes locais da HR Solutions descobriu que seus empregados estavam insatisfeitos com o dissídio médio de 6% pago pela empresa em 2009. No entanto, de acordo com a Hewitt Associates, o aumento médio por mérito concedido em 2009 na cidade de Chicago foi de apenas 1,8%. O fato é que ao serem informados sobre o quanto seus pares estariam recebendo, os funcionários da referida empresa ficaram muito mais satisfeitos com a própria compensação.

Comunicar aos empregados que a organização planeja remunerá-los acima da média de seu setor e de sua região ajuda a retê-los. Entretanto, se uma empresa pretende pagar abaixo da média, oferecer essa informação certamente irá gerar um efeito prejudicial ao engajamento. A melhor opção, nesse caso, é utilizar o aumento da compensação como método para reter grandes talentos.

Estimamos que a grande maioria dos diretores financeiros sinta, como reflexo automático, que o aumento nos salários irá gerar um aumento nas despesas **totais**, mas não é exatamente isso o que ocorre. O verdadeiro custo da rotatividade de funcionários que deixam a empresa por melhores salários pode se mostrar bem mais elevado que o oferecimento de remunerações mais altas e competitivas. De fato, dos funcionários que consideram pedir demissão, 23% deles citam a compensação como motivo para sua iminente saída.[2] No entanto, se as circunstâncias atuais não permitem que a empresa ofereça salários mais competitivos, a organização deve se concentrar em outros benefícios como parte do pacote total de compensação. Se, por exemplo, o valor do Programa de Participação nos Lucros e Resultados (PPLR) da companhia for superior à média, essa informação precisa ser destacada.

A filosofia de remuneração deve ser comunicada sempre. O ato de relembrar os funcionários várias vezes ao ano sobre seu plano de compensação ajudará a mantê-los satisfeitos com o que ganham. Apenas 49% dos empregados acreditam que recebem um salário justo pelo trabalho que realizam.[3] Essa estatística poderia ser mais alta se os empregados entendessem melhor de que maneira a compensação deles se compara à de profissionais em funções similares em outras organizações. É de suma importância manter o diálogo regular com os supervisores dos funcionários. Ademais, certifique-se de manter planos de compensação consistentes ano após ano. Quando as organizações alteram sua estratégia de remuneração com muita frequência, elas se arriscam a confundir seus trabalhadores ou a levá-los a perder a confiança na segurança do próprio plano. A consistência do programa de remuneração ajuda a aumentar a transparência do seu conteúdo para os empregados, já que estes não terão de reaprender sobre o plano todo ano.

Todas as ideias anteriormente mencionadas configuram passos simples para alterar a percepção dos funcionários a respeito da remuneração recebida, sem, de fato, modificar os níveis salariais. Proporcionar aos empregados mais conhecimento e compreensão sobre o programa de remuneração da companhia ajudará a elevar o nível de satisfação desses indivíduos em relação aos programas existentes. Mesmo que os funcionários nem sempre concordem com as estratégias adotadas, eles irão compreender sua metodologia. Isso, por sua vez, permitirá que essas pessoas se sintam muito mais satisfeitas com a remuneração oferecida, demonstrem mais confiança pela companhia e se sintam mais atraídos por ela.

A sua empresa está perpetuando, de maneira subconsciente, a disparidade salarial entre os gêneros?

Embora seja de conhecimento geral que as mulheres recebem salários inferiores aos dos homens, a maioria dos gestores de contratação dificilmente confirma a ocorrência de tal fenômeno na organização em que trabalham. Se a maioria dos empregadores não acredita que a própria empresa está contribuindo para a perpetuação da disparidade salarial entre homens e mulheres, mas essa diferença continua existindo em todos os setores, podemos deduzir que os empregadores talvez não estejam percebendo que eles próprios fazem parte do problema.

De acordo com o Serviço de Estatísticas do Trabalho dos EUA, atualmente as mulheres ganham aproximadamente 80% do valor médio pago semanalmente à sua contraparte masculina naquele país. Apesar de esse percentual ter aumentado de seus originais 60% em 1980, essa disparidade tem diminuído de maneira considerável nos últimos anos. As desigualdades entre os gêneros variam em tamanho pelo mundo todo, mas são encontradas em todos os mais de duzentos países onde coletamos informações. As maiores diferenças são encontradas no Oriente Médio e no norte da África, enquanto as menores podem ser visualizadas na Oceania e na Europa Ocidental. Os quatro países nórdicos, especificamente, apresentam dissimetrias mínimas quanto a esse aspecto.[4]

Apesar de muitos fatores poderem contribuir para a disparidade salarial entre os gêneros – como a educação, a experiência e a quantidade de horas trabalhadas –, estudos recentes relatam ainda existir desequilíbrio salarial entre homens e mulheres com mesmo histórico e qualificações. Um estudo conduzido pelo Instituto de Pesquisa de Políticas para a Mulher,[b] de 1983 a 2000, revelou que a desproporção salarial era de 44% entre indivíduos que não apresentavam fatores similares, e de 21% entre pessoas com fatores equivalentes.

É essencial examinar os motivos para que essa demonstração antiética continue se manifestando em uma sociedade marcada pela igualdade de direitos. De um ponto de vista idealista, passamos a assumir que essa injustiça seja desintencional, em lugar de maléfica. Nesse sentido, os gestores responsáveis pela contratação de funcionários devem reconhecer os fatores que contribuem para determinar o salário e os bônus de um colaborador e de que maneira o gênero de tal pessoa pode potencialmente afetar sua remuneração.

---

b - Institute for Women's Policy Research – IWPR. (N.T.)

As negociações salariais

Um dos fatores que podem gerar variação sobre o salário entre os funcionários diz respeito ao resultado de sua negociação. Apesar de a individualidade proporcionar diferenças na maneira e no momento mais adequados à negociação, pesquisas demonstram que **homens negociam com mais frequência** que mulheres, além de conduzirem negociações mais difíceis. Tendo em vista que as negociações, em geral, levam a ofertas mais elevadas, os homens tendem a receber salários iniciais mais altos por, simplesmente, pedirem mais dinheiro. De acordo com um estudo recente dos salários iniciais pagos a universitários graduados e com mestrado da Universidade Carnegie Mellon, somente 7% das alunas tentaram negociar seu salário inicial em comparação a 57% dos alunos do sexo masculino. Isso levou a uma diferença de 4 mil dólares nos salários iniciais e a 7% de remuneração mais elevada para os homens.

Pequenas diferenças entre salários iniciais podem gerar ganhos muito elevados ao longo do tempo. Por exemplo, a disparidade entre um salário inicial de US$ 100 mil por ano e outro de US$ 110 mil, com um aumento padrão de 3% ao longo de 35 anos, cria uma variação de US$ 30.853 anuais na aposentadoria. Além disso, o efeito exponencial dessas pequenas dissimilaridades no salário inicial também é vasto. A diferença entre um salário inicial de US$ 25 mil e US$ 30 mil com aumento padrão de 3% ao longo de 28 anos gera US$ 361.171 de diferença no próprio salário ao longo do tempo. Com isso em mente, ganhos aparentemente pequenos em negociações de salário podem de fato gerar imenso impacto no total recebido ao longo da carreira de uma pessoa.

Os empregadores devem estar cientes das diferenças relacionadas aos gêneros na negociação e de que modo sua resposta às argumentações será capaz de contribuir para a perpetuação da disparidade salarial. No estudo anteriormente citado, as mulheres reportaram sentir-se mais ansiosas que os homens em relação à negociação, o que criou uma desvantagem claramente demonstrada pela desigualdade entre os salários iniciais. Ao definir a remuneração de seus funcionários, é importante ter em mente que esses indivíduos deverão ser compensados de maneira justa pela posição que ocupam, não pelo seu talento natural para a negociação.

Melhores práticas

Os empregadores devem examinar sua filosofia de remuneração e avaliar de que modo os salários e bônus se diferenciam entre homens e mulheres que desempenham a mesma função e possuem as mesmas qualificações dentro da organização. Caso alguma disparidade seja encontrada, seu reequilíbrio deve ser considerado prioritário. As companhias que não encontrarem tais diferenças de gênero na remuneração paga a seus funcionários devem considerar esta informação um ponto positivo em sua gestão de talentos. Anunciar que a remuneração dos membros de sua equipe é baseada na experiência de cada um deles em vez de no gênero sexual pode atrair talentos para a empresa e estimular o engajamento dos funcionários. Ademais, a ausência de disparidade salarial entre os gêneros demonstra responsabilidade corporativa – uma **qualidade magnética** que atrai consumidores.

Embora algumas pessoas acreditem que os estereótipos tradicionais relacionados aos gêneros e às funções sejam coisas do passado, a realidade mostra que esses lugares-comuns ainda se mantêm em nossa sociedade atual. Mesmo quando os indivíduos não acreditam nesses estereótipos, as estatísticas no trabalho mostram que eles perduram na cultura de hoje. Essa injustiça somente será vencida quando as organizações assumirem a responsabilidade de assegurar o provimento de compensação justa. O progresso rumo à igualdade entre os gêneros acontecerá quando os empregadores tomarem para si a responsabilidade de analisar potenciais disparidades salariais entre gêneros dentro de suas empresas – o que, por sua vez, ampliará o engajamento no local de trabalho.[5]

Sua organização demonstra qualquer disparidade salarial relacionada a outras diferenças demográficas, como raça, deficiência ou origem? Você não terá certeza absoluta até verificar. Se descobrir algum desequilíbrio, a empresa deve considerar a retificação da situação o mais rápido possível. Assim que se provar que várias demografias em sua companhia recebem salários iguais, a publicação dessa informação servirá como um excelente instrumento de relações públicas e elevará a atração magnética de talentos *top* para a sua empresa.

PESSOAS *VERSUS* DECISÕES FOCADAS NOS NEGÓCIOS

Existe um mal-entendido comum de que decisões focadas em pessoas divergem daquilo que é melhor para os negócios. Por isso é tão difícil convencer os CEOs sobre iniciativas de engajamento de funcionários; eles acham que, como fator preponderante, precisarão abrir mão de algum resultado financeiro se começarem a se preocupar com seus funcionários. Realmente, nada poderia estar mais longe da verdade.

Muitas pessoas são motivadas por resultados financeiros imediatos. Por isso, o corte de programas é um meio comum de "poupar dinheiro" e gerar impacto no ponto principal.

Apesar de essa economia ser positiva no curto prazo, tal iniciativa pode ser prejudicial para o sucesso no longo prazo. Quando uma empresa está passando por dificuldades financeiras, as primeiras coisas a serem cortadas são as iniciativas consideradas "supérfluas", como programas de bem-estar para os funcionários, recursos para treinamentos, filantropia e até mesmo a aquisição de novos suprimentos e equipamentos. Os empregados geralmente conseguem passar sem tudo isso, mas os efeitos no longo prazo de se cortar tais iniciativas irão afetar negativamente o engajamento dos profissionais. Esse dilema é análogo ao que acontece aos fazendeiros e às sementes destinadas a futuras safras:

> *Um fazendeiro tem feijões para plantar sua safra do ano seguinte, mas está com fome agora. É claro que ele pode comer esses feijões imediatamente e resolver seu problema. No entanto, assim que os feijões se forem, ele sentirá fome novamente e não terá como conseguir mais comida.A opção mais inteligente para o fazendeiro será então plantar os feijões e gozar de toda a safra que as sementes produzirão.Agindo dessa maneira ele conseguirá se beneficiar dos lucros resultantes do seu investimento inicial.*

Que tipo de fazendeiro você será? O que pensa em resolver facilmente os problemas imediatos ou o que planta para colher ótimos resultados no futuro?

Uma abordagem focada em pessoas e que está ganhando terreno é o **Enriquecimento do Funcionário**,[c] um método estratégico que abrange tanto os fatores relacionados ao trabalho quanto os não relacionados a ele, a fim da melhorar a vida dos empregados com base na expectativa de que quanto melhor o bem-estar do indivíduo, melhor será seu desempenho. Esse conceito inspirador e eficaz foi popularizado pelo Fórum: Resultados Corporativos Por Meio das Pessoas,[d] um programa afiliado à Universidade Northwestern. Apesar de essa mentalidade "pessoas em primeiro lugar" parecer altruísta, ela se alicerça no resultado desejado pela empresa: melhores desempenhos profissionais. Ao utilizarem essa abordagem, muitas companhias perceberam que as decisões com enfoque nas pessoas **são** decisões com enfoque corporativo.

O dilema permanente dos gestores: as complicações inerentes ao fato de o indivíduo ser estimado

Muitas pessoas, incluindo a mim, querem ser estimadas. Quando outros indivíduos gostam de nós, sentimo-nos bem e imaginamos estar agindo de maneira adequada. Porém, infelizmente essa teoria tem suas exceções quando o assunto é **"ser um gerente"**. O fato de um indivíduo ser estimado não significa, necessariamente, que ele esteja realizando um bom trabalho. Na verdade, pode até significar que a pessoa esteja efetuando um trabalho terrível. Nem sempre a orientação dos indivíduos para que alcancem seus melhores resultados se associa à ideia de ser estimado. Isso acontece em qualquer função cuja responsabilidade do

---

c - Employee Enrichment. (N.T.)

d - O Fórum: Business Results Through People. (N.T.)

profissional seja de supervisionar o sucesso de outras pessoas – como professores ou treinadores. Muitos indivíduos simplesmente não querem ser pressionados a se aprimorar. Esses funcionários de baixo desempenho baseiam seus sentimentos em relação a um gestor na maneira que devem agir para escapar ao aprimoramento. Às vezes, como gestor, você precisa decidir se quer ajudar as pessoas a se aperfeiçoarem e, desse modo, beneficiar a organização, ou se prefere ser estimado por elas.

Vários anos atrás tivemos um gerente na HR Solutions a quem irei me referir como "Dave Cafezinho". Por causa de sua natureza descontraída e conduta amigável, Dave Cafezinho era muito popular entre os empregados. Ele estava sempre disponível para conversar sobre o trabalho, os esportes, o clima ou até mesmo sobre a vida em geral. Ele costumava caminhar pelo escritório com seus subordinados diretos durante todo o dia, tomando xícaras e mais xícaras de café e interagindo com os colegas. Eu gostava de Dave Cafezinho, mas com toda aquela socialização ele acabava não completando muitas de suas tarefas, e o mesmo podia ser dito a respeito de seus subordinados diretos. Ele se preocupava tanto com o que as pessoas pensavam a seu respeito que não conseguia assegurar nem mesmo um controle mediano de qualidade, responsabilizar a própria equipe pelos erros cometidos ou fornecer-lhe más notícias a respeito do mau desempenho de seus próprios subordinados. Apesar de contar com ótimas pessoas em seu departamento, elas não produziam a quantidade de trabalho que deveriam, porque ali inexistia um gerenciamento fundamentado em responsabilidade. Bons gestores não atrasam conversas cruciais; os incompetentes, sim. Por fim, perdemos alguns importantes clientes por causa de Dave Cafezinho, e isso representou o ponto mais baixo da produtividade e dos resultados da HR Solutions. Dave tomou café, riu à beça e manteve amigos; a HR Solutions, por sua vez, perdeu clientes e, ao longo de algum tempo, também sua receita.

A verdade sobre ser estimado é que isso acontece naturalmente quando você ajuda as pessoas a alcançarem as metas por elas estabelecidas. Se você auxilia os funcionários que querem aprimorar habilidades e conhecimentos eles irão gostar de você. Contudo, se os empregados querem vegetar o dia todo em suas cadeiras, claro que irão detestá-lo se você tentar fazê-los trabalhar. Trata-se apenas de senso comum. Os gestores eficazes geralmente são estimados por seus subordinados diretos, e até mesmo pelos ambivalentes. Funcionários desengajados são, na maioria das vezes, negativos e dão pouca atenção à supervisão. Preocupar-se com o que esse grupo de pessoas pensa a seu respeito é perda de tempo. Quem não se mostra disposto a dar o melhor de si não deveria nem estar na empresa, portanto, de fato não interessa o quanto gostam de você. Concentre-se em ser um ótimo líder, e a estima será um benefício tangencial que você irá desfrutar em relação à sua equipe.

Gerenciando conflitos no local de trabalho

Como gerente, é inevitável deparar conflitos. Seria fenomenal se todos estivessem de acordo a respeito de tudo em tempo integral, mas, na realidade, isso jamais irá acontecer. Para manter uma CM, é crucial que os gestores ajudem a resolver os conflitos que ameaçam polarizar a força de trabalho. Os gerentes devem ouvir as demais opiniões para prevenir problemas que poderão se tornar prejudiciais ao engajamento ao longo do tempo.

A maioria das pessoas, por natureza, **procura evitar conflitos**. Esse cuidado acontece especialmente no local trabalho, onde o risco de desacordos é muito mais alto por causa da expectativa de cooperação que já existe entre os funcionários.

A ideia de lidar com conflitos por meio da confrontação de um colega pode não ser apenas inquietante, mas também psicologicamente perturbadora. O prognóstico de tal evento cria um estado de nervosismo geral que se arrasta pelo dia todo, prejudicando a produtividade dos funcionários. Muitas pessoas tentam afastar pensamentos sobre conflitos, procurando assim evitar a possível culminação de um confronto. Entretanto, muitas vezes a fonte do conflito infelizmente não desaparece sozinha. Quando não abordado, o nível de irritação de um empregado pode se elevar exponencialmente. O que antes era uma frustração mínima pode rapidamente se transformar em efervescência máxima, criando um gigante obstáculo ao engajamento.

Um desafio premente para os gestores é o de encorajar um ambiente no qual a comunicação aberta seja bastante valorizada e os conflitos sejam administrados bem antes de alcançarem seu clímax. De acordo com a revista *Talent Management*, as pessoas se esforçam ao máximo para evitar conversas desagradáveis no local de trabalho. Trinta e quatro por cento dos respondentes reportaram evitar diálogos críticos por mais de um mês, enquanto aproximadamente 25% disseram evitar conversas decisivas por mais de um ano. Quando o assunto envolvia um gerente, os níveis de desculpa eram ainda mais altos. Os motivos para as evasivas variavam, mas a maioria delas era causada por medo de que a conversa acabasse mal, resultando em um ambiente de trabalho negativo.[6]

Servindo de exemplo

Os gestores devem dar aos funcionários bons exemplos em termos de gerenciamento de conflitos, mediante suas próprias ações. Se os empregados veem seu gerente como alguém que não sabe lidar bem com **antagonismos**, eles provavelmente se sentirão apreensivos em ter de pedir-lhe ajuda no caso de um embate com outro funcionário. Ademais, se enxergarem seu superior como alguém com pavio curto, os colaboradores também irão evitar confrontos com ele, independentemente de quão prejudicial isso possa ser no longo prazo. O mesmo acontece com o gestor que se mostra inabordável: seus subordinados diretos não irão procurá-lo para falar sobre suas preocupações.

Uma das melhores práticas para esses problemas indica que os gerentes devem tentar observar todos os conflitos através das lentes do profissionalismo. Essa ideia parece simples, mas na verdade pode ser um dos conceitos mais difíceis a se aprender. Emoções pessoais e opiniões que não estejam diretamente relacionadas ao trabalho precisam ser checadas.

Em geral, uma equipe coesa é muito mais produtiva e engajada que uma que enfrenta problemas interpessoais. Ajudar os empregados a resolver conflitos sem confrontação é uma habilidade valiosa para gestores de qualquer setor. O estabelecimento de um ambiente em que os colegas de trabalho ostentem um bom relacionamento – mediante a realização de pesquisas, da criação de uma caixa para sugestões ou do estimulo a uma cultura de comunicação aberta – exerce papel fundamental na construção de uma CM.[7]

O engajamento em um ambiente associativo

Imagine uma organização em que o engajamento de funcionários e os níveis de satisfação e motivação profissional tenham atingido o fundo do poço. A administração sênior da empresa parece não estar disposta a atender as necessidades dos funcionários no que se refere a suprimentos adequados, remuneração decente, pacotes de benefícios e condições seguras de trabalho. Por fim, em uma tentativa de aumentar seu nível de satisfação, os funcionários decidem formar uma associação (ou sindicato). A associação começa a trabalhar imediatamente sobre os pontos mais urgentes e a companhia percebe um aumento nos níveis de satisfação e engajamento dos empregados. Entretanto, apesar do estabelecimento de uma associação, os níveis de engajamento e satisfação dos empregados nunca alcançam os de seus concorrentes, cujos funcionários nunca tiveram de criar uma aliança. Esse cenário é muito mais comum do que se possa imaginar. Os EUA possuem 16,1 milhões de membros sindicalizados.[8] Na União Europeia, 25% dos trabalhadores são sindicalistas, totalizando 60 milhões de pessoas.[9] Os funcionários, em geral, se unem a sindicatos em uma tentativa de elevar seu nível de satisfação, mas eles nunca alcançam os mesmos níveis atingidos por seus pares não sindicalizados. Esse fenômeno pode ser atribuído a diversos fatores.

Vias complicadas de comunicação

Como discutido previamente no Capítulo 1, a comunicação configura uma das dimensões do poder, uma área na qual as melhores empresas exercem liderança. Uma boa comunicação entre a administração e os empregados é um componente-chave para a construção do engajamento e da satisfação dos funcionários. No entanto, a introdução de um sindicato ou de uma associação de empregados complica as vias normais de comunicação tendo em vista que algumas mensagens da empresa precisam passar por essa entidade antes de chegarem aos funcionários, e vice-versa. Esse passo adicional na comunicação poderá atuar como uma espécie de filtro e acabar atrasando, distorcendo ou extraviando mensagens; isso, por sua vez, será capaz de gerar confusão e frustração entre os colaboradores.

O enfoque dos sindicatos/das associações de funcionários

Quando uma associação de funcionários é formada, ela concentra sua atenção em negociações de contratos, pagamentos, benefícios e políticas de RH e do próprio local de trabalho. Apesar de serem importantes para os empregados, esses elementos não são propulsores-chave de engajamento ou de satisfação geral no ambiente de trabalho. Para elevar os níveis de engajamento e satisfação, essas associações deveriam enfocar problemas como **reconhecimento, desenvolvimento de carreira, relacionamento da alta administração com os funcionários** e a **estratégia** e a **missão da empresa**.

Negociações sobre o aumento de salários

Em ambientes associativos/sindicalizados, a remuneração é regulamentada por meio de contratos. Apesar de garantir remuneração justa aos empregados, esses documentos desfazem a conexão entre mérito e compensação. O reconhecimento é o propulsor mais importante do engajamento de funcionários, portanto, a extinção desse vínculo poderá gerar uma diminuição nos níveis de envolvimento. Além disso, cada associação/sindicato exige dos funcionários o pagamento mensal de um percentual do salário recebido, como uma contribuição do associado. O pagamento dessas taxas também poderá gerar sentimentos de insatisfação, especialmente quando os funcionários não veem os resultados que esperavam pela formação da associação/do **sindicato**.

O controle associativo/sindical

Em um ambiente associativo/sindicalizado, os recursos necessários e as condições físicas de trabalho da organização são determinados em contrato. Esse controle significa que quando um funcionário precisa de novos suprimentos de limpeza ou que uma lâmpada sobre sua cabeça seja trocada, a associação precisa primeiramente aprovar a compra ou o serviço antes que estes sejam realizados, o que pode causar interferência e atrasar o processo.

Um de nossos clientes de Montreal, do setor de cassinos, nos forneceu um excelente exemplo de como esse passo adicional para se conseguir aprovação de um sindicato pode atrasar até mesmo alterações bem simples. Certa vez, os funcionários da casa queriam afastar uma máquina caça-níqueis em 1,5 m de sua posição original porque o móvel estava atrapalhando o trânsito das pessoas. Para conseguirem realizar tal movimento tiveram de preencher uma papelada e enviá-la ao sindicato e ao governo (do Canadá). O processo todo acabou levando dois meses, e somente então os funcionários puderam mover a máquina em 1,5 m.

A mentalidade nós *versus* eles

A existência de uma associação/um sindicato também é capaz de aumentar a tensão entre grupos de funcionários, e também entre os empregados e a própria administração, pelo fato de criar uma mentalidade do tipo **"nós *versus* eles"**.

Funcionários que trabalham em diferentes departamentos podem sentir essa diferença quando acreditam que as necessidades de seu respectivo setor não estão recebendo a mesma atenção que as dos demais. A presença de uma associação também faz com que os empregados se sintam separados da administração da empresa, dando a esta última uma aparência de **"inimiga"**, gerando falta de confiança dos empregados em seus gestores e diminuindo os níveis de satisfação e engajamento.

Sindicatos e associações de funcionários – o recurso extremo dos empregados

Considerando que a maioria das empresas cujos empregados se utilizam dessas associações não alcança maior satisfação ou engajamento dos funcionários, as organizações cujos empregados **não se utilizam** desses recursos devem fazer o máximo para garantir que seus colegas não sintam necessidade de se organizar. Uma das maneiras de assegurar que os funcionários de uma empresa não queiram formar uma associação é utilizando o Índice de Vulnerabilidade da Sindicalização (IVA)[e] da HR Solutions, uma ferramenta cientificamente validada que apresenta 92% de taxa de sucesso entre os funcionários não associados/sindicalizados no período de cinco anos após a primeira pesquisa.

A formação de associações/sindicatos não visa **elevar os níveis de satisfação ou engajamento** entre os funcionários, portanto deve ser considerada apenas como um último recurso em empresas cujos níveis nessas áreas estejam extremamente baixos. A melhor opção

---

e - Unionization Vulnerability Index – UVI. (N.T.)

para as empresas é minimizar a possibilidade de sindicalização ou de formação de associações pelos funcionários. Empresas inteligentes ouvem seus trabalhadores por meio de pesquisas formais e confidenciais, liquidando o risco da vulnerabilidade em relação à criação de associação ou da sindicalização.[10]

Mantenha-se informado e empenhado

Embora muitos elementos ameacem desmagnetizar a cultura de uma empresa, os gestores podem combater esses problemas de maneira ativa simplesmente se mantendo cientes de sua existência e se esforçando para resolvê-los. O que torna as pessoas bons gestores não é necessariamente o que elas sabem, mas sua dedicação e seu interesse pelo próprio aprimoramento.

No próximo capítulo, iremos explorar o tópico **diversidade no local de trabalho** e discutir de que maneira podemos abraçar a diversidade para engajar ainda mais os funcionários e magnetizar a cultura empresarial.

CAPÍTULO 6

NÃO IGNORE A DIVERSIDADE

"Existem apenas duas coisas que eu não suporto nesse mundo: indivíduos intolerantes à cultura de outros povos e os holandeses."
-NIGEL POWERS, PERSONAGEM DE MICHAEL CAINE NO FILME AUSTIN POWERS EM O *Homem do Membro de Ouro*

A **diversidade** é um problema evidente, porém ignorado, em muitas organizações. O aumento da globalização e a demografia da força de trabalho, que hoje abrange funcionários de diferentes origens, transformaram a diversidade em um elemento muito mais importante do que já foi.

Aprendemos desde muito cedo na vida que o importante é **"o que está dentro"** das pessoas e que é errado julgá-las por qualquer outro fator. Esse condicionamento precoce muitas vezes ensina as crianças a **ignorar** as diferenças, em vez de **valorizar** o que nos faz diferentes uns dos outros. Entretanto, conforme crescemos percebemos que as pessoas **são** afetadas por suas respectivas experiências culturais. Consciente ou inconscientemente, nosso gênero, histórico socioeconômico, nossas tradições sociais e outras experiências fazem parte de quem nos **tornamos** e do que **valorizamos**. Todavia, infelizmente esses elementos parecem tabus, especialmente no ambiente profissional. Ao trabalhar com colegas de origens diferentes, muitas pessoas consideram inapropriado admitir que as diferenças mencionadas sequer existam, o que dirá que irão influenciar no desempenho profissional dos indivíduos. O ato de varrer a diversidade **"para debaixo do tapete"** tem presenteado muitas organizações, ao longo do tempo, com um verdadeiro elefante branco.

Pesquisas recentes descobriram uma correlação positiva entre a **satisfação com a diversidade** e **o contentamento geral pelo emprego**. Os três itens da pesquisa, relacionados a seguir, mostram que a satisfação dos funcionários e o engajamento alcançam níveis mais favoráveis quando os empregados classificam a empresa em que trabalham como justa em relação ao tratamento que funcionários e clientes de diferentes origens recebem. Analise a Tabela 6.1.

Como discutido anteriormente, o coeficiente de correlação (**r**) é o valor que quantifica a relação entre duas variáveis. O valor de **r** pode se situar entre +1 (correlação positiva) e -1 (correlação negativa). Uma correlação positiva significa que uma variável aumenta à medida que a outra se eleva (por exemplo, altura x peso); portanto, a correlação perfeita seria +1. Uma correlação negativa, ou relação inversa, mostra que uma variável aumenta enquanto a outra diminui (por exemplo, peso x exercícios físicos); portanto, uma correlação negativa perfeita seria -1. A absoluta falta de correlação, o que significaria ausência total de relação entre as duas variáveis, seria representada por **zero**. As correlações não sugerem **causalidade**, em vez disso, mostram uma **relação**.

Tabela 6.1 Correlação entre itens da pesquisa de funcionários e satisfação com a diversidade

Itens da pesquisa de engajamento de funcionários	Coeficiente de correlação de Pearson
Resultado da variação: satisfação geral com o trabalho	1
Clientes diversos (diferenças de raça, gênero, idade, religião, orientação sexual etc.) são tratados igualmente pela organização	0,42
Funcionários de diferentes culturas são tratados igualmente pela organização com relação ao avanço de carreira	0,41
Funcionários diversos (diferenças de raça, gênero, idade, religião, orientação sexual etc.) são tratados igualmente pela organização	0,40

Figura 6.1 - Satisfação com o emprego versus satisfação pela diversidade

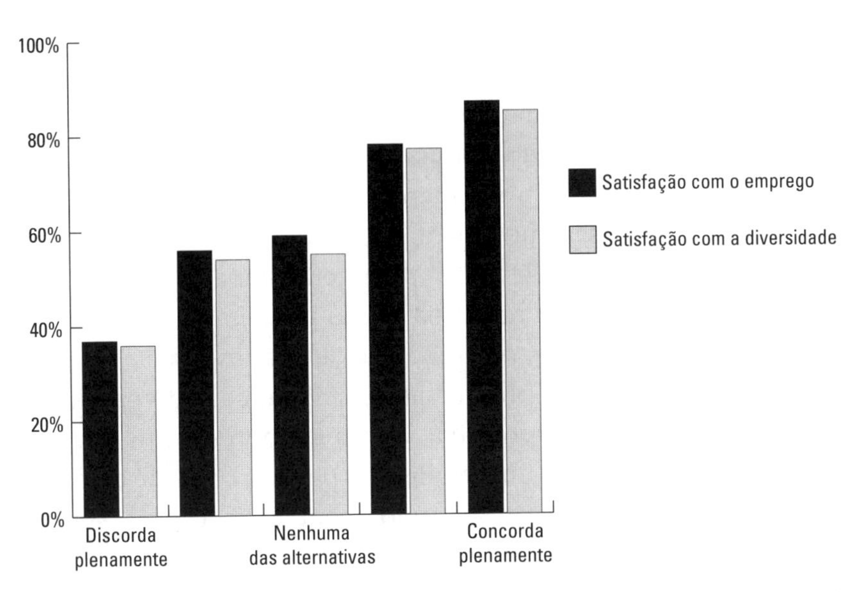

Nós já discutimos de que maneira o engajamento afeta o resultado de uma empresa. Entretanto, a satisfação com a diversidade pode ser a peça faltante do quebra-cabeças para muitas companhias que alcançaram um platô de engajamento. Observe a Figura 6.1.

A diversidade e as políticas corporativas

O que é diversidade? A resposta a essa pergunta pode parecer óbvia, mas ela precisa ser abordada com mais profundidade, principalmente porque a diversidade abrange muito mais que as diferenças e similaridades que os olhos conseguem enxergar.

A diversidade abrange todas as variações demográficas e filosóficas que contribuem para a formação de quem somos enquanto seres humanos. Aceitar e respeitar essas diferenças, bem como entender de que maneira elas intervêm no ambiente de trabalho, é essencial para o apoio a uma organização que ampara a diversidade.

Simplesmente demonstrar **tolerância** não é o mesmo que apoiar um ambiente diverso. As empresas devem ir além do simples reconhecimento da diversidade, trabalhando em direção à **inclusão**. O progresso depende do auxílio dado aos funcionários para que eles entendam a perspectiva uns dos outros e cultivem uma cultura corporativa verdadeiramente apoiadora e uma atmosfera de equipe.

Sessões regulares de treinamento e de instrução relativas à diversidade devem ser implementadas. Os programas devem ser atraentes, interativos e relevantes para gerar impacto verdadeiro. Consultores externos são uma boa opção para empresas que não estão preparadas para lidar com esse tipo de iniciativa internamente.

No que se refere aos problemas relacionados à diversidade, as políticas interna e corporativa são os melhores locais para se começar quando se inicia uma análise da postura corrente da organização. Auditorias internas são fundamentais tanto para o engajamento quanto para a conformidade legal.

Religião

Uma das áreas em que as empresas tendem a enfrentar problemas é a **religião**. Nos EUA, o Título VII da Lei dos Direitos Civis de 1964 estabelece que os empregadores devem fornecer acomodações razoáveis para o cumprimento dos deveres religiosos de todos os funcionários, a menos que essa medida imponha dificuldades excepcionais para o negócio. De acordo com a Comissão de Oportunidades Iguais de Trabalho (EEOC),[a] as despesas relativas à religião aumentaram em aproximadamente **50%** desde 1997, e os pagamentos aumentaram cerca de **160%**, totalizando mais de US$ 10 milhões em 2010.[1] Particularmente, não admito tomar decisões baseadas em medo quando se trata de negócios, mas é importante entender os riscos da gestão de talentos e, mais importante, a razão pela qual essas leis existem.

---

a - Equal Employment Opportunity Commission. (N.T.)

Para muitas pessoas, a religião significa uma parte fundamental da vida, a essência de quem são. Trata-se de algo que não está sujeito a qualquer tipo de negociação, sob nenhuma circunstância – isso inclui políticas criadas por um empregador. Se um indivíduo deseja tirar uma folga no serviço a fim de cumprir os deveres de um feriado religioso, ou, simplesmente, utilizar um período durante o dia de trabalho para rezar, os empregadores devem atender a essas necessidades. Enquanto as regras exatas podem ser debatidas em termos de cumprimento legal, em se tratando da manutenção de uma cultura de funcionários engajados, é uma boa prática permitir à sua equipe uma boa dose de liberdade nesse sentido.

A maioria das organizações oferece licença remunerada pelos feriados religiosos, mas geralmente se limitam aos feriados cristãos. Pessoas que seguem outras religiões não veem benefício nessas licenças, particularmente se observam outros feriados religiosos que não são incluídos nos calendários das empresas. Uma boa solução é oferecer **"saídas flutuantes"**, que podem ser usadas em feriados religiosos comuns ou de maneira diferente, de acordo com a necessidade individual dos funcionários. Em 2010, 76% das cinquenta empresas *top* em diversidade listadas pela revista *DiversityInc* ofereceram feriados religiosos flutuantes *versus* 34% de todas as outras empresas dos EUA. Ademais, 74% das cinquenta empresas *top* em diversidade mencionadas por essa revista ofereciam acomodação religiosa dentro da companhia, como sala para orações, em comparação a 8% de todas as demais empresas dos EUA.[2]

Quando a "minoria" étnica se torna a "maioria"

As atuais taxas de natalidade das minorias étnicas nos EUA excedem a de caucasianos. Com base na estimativa do Departamento de Censo dos EUA, o país está a caminho de alcançar o *status* "maioria de minorias" em 2042, com o crescimento contínuo das populações asiática, negra e hispânica. Como a diversidade étnica aumenta, torna-se ainda mais importante que as organizações fomentem uma cultura em que todos os empregados se sintam bem-vindos e incluídos.

Estudo de caso – Clubes de Meninos e Meninas da América (BGCA)[b]

Conhecida por sua dedicação aos jovens em risco, a organização Clubes de Meninos e Meninas da América já influenciou comunidades em todo o território norte-americano. Com quase 4 mil locações e presente em todos os cinquenta Estados dos EUA, além de estar em Porto Rico e nas Ilhas Virgens, a instituição já conseguiu ajudar mais de 4 milhões de crianças e adolescentes.

Muitos dos jovens atendidos fazem parte de minorias étnicas, o que torna imprescindível instruir e treinar os membros de toda a equipe nacional a respeito da diversidade. O diretor de Desenvolvimento Organizacional, Terri Dorsey, diz que **diversidade** e **inclusão** são prioridades máximas na **gestão de talentos** da BGCA:

> *"Como uma organização voltada a servir a juventude, já sabíamos que nossa estratégia para as crianças seria criar um lugar positivo que promovesse um senso de competência, pertencimento, influência e utilidade. Entendemos que esses princípios devem também orientar o ambiente que criamos para os membros de nossa equipe."*[3]

Ao longo dos últimos anos, a BGCA aumentou seu apoio a uma **"equipe diversa"** por meio de numerosas iniciativas. Programas de treinamento anuais relacionados à diversidade têm ajudado a instruir os empregados a respeito da importância da diversidade e sobre as maneiras de continuar estimulando um ambiente que apoie a inclusão. Os membros da equipe também têm a oportunidade de assumir a liderança gerenciando festividades relacionadas à diversidade como o Mês da Tradição Latino-americana, o Mês da História dos Negros, o Mês da História das Mulheres

---

b - Boys and Girls Clubs of América (BGCA). (N.T.)

e a Conscientização quanto a Incapacitação Física. Esses esforços ilustram como é essencial entender a diversidade no plano dos funcionários para se atender de maneira eficaz clientes diversos: "Eu acredito que os esforços que dirigimos à diversidade, nos concentrando na criação desse ambiente positivo para todos, tem muito a ver com nosso sucesso atual", diz Dorsey.

Tendo em vista que a demografia étnica no trabalho continua a crescer de maneira exponencial, sua organização está preparada para atrair e reter esses profissionais talentosos com características diversas?

Disparidades raciais na percepção dos esforços pela diversidade

Em se tratando de esforços direcionados à diversidade, o sucesso geralmente é percebido de maneiras diferentes por membros de diferentes raças. Apesar de a maioria étnica provavelmente se mostrar contente pelo empenho dedicado à diversidade, as minorias populacionais, em geral, revelam-se menos satisfeitas. Os dados da avaliação comparativa a seguir[4] mostram as diferenças no *feedback* por raça:

"Essa organização tem alcançado êxito em promover a diversidade aqui."

- Negros: 59% concordam
- Brancos: 78% concordam
- Hispânicos: 56% concordam

"Meu supervisor demonstra o mesmo grau de interesse pela carreira de todos os funcionários, independentemente de raça, gênero, idade, religião ou orientação sexual."

- Negros: 61% concordam
- Brancos: 79% concordam
- Hispânicos: 82% concordam

"Esta organização precisa ministrar treinamentos para ajudar seus funcionários, de todos os níveis, a ultrapassar barreiras de comunicação."

- Negros: 80% concordam
- Brancos: 60% concordam
- Hispânicos: 75% concordam

"Meus colegas de trabalho tratam todos os clientes igualmente, independentemente de raça, gênero, idade, religião ou orientação sexual."

- Negros: 89% concordam
- Brancos: 90% concordam
- Hispânicos: 91% concordam

As empresas podem avaliar melhor as percepções de seus funcionários conduzindo uma pesquisa e separando as respostas por demografia. Essas informações permitirão que a liderança sênior entenda as diferenças de opinião e, provavelmente, de engajamento dos diversos grupos étnicos da empresa. A partir daí ela planeje ações no sentido de abordar áreas que necessitam de melhorias.

Uma lição da infância, e para toda a vida, sobre diversidade

Quando eu estava na 6ª série, eu costumava passar a hora do recreio escondido debaixo de um caminhão que ficava estacionado em uma velha garagem no final do terreno da minha escola. Certamente eu preferiria ficar do lado de fora brincando com amigos, mas aquela não era uma opção. Eu era um dos únicos alunos caucasianos matriculados em uma escola para nativos norte-americanos em uma reserva ao norte de Wisconsin, e eu sempre apanhava por causa da cor da minha pele. Para mim, o recreio significava **"tortura"**.

Tudo começou no meu primeiro dia de aula, quando o filho do **líder da tribo** veio até onde eu estava e esmurrou o meu rosto.

Cometi o erro de me defender e devolver o golpe, e, de fato,"venci" aquela briga. Meu agressor não chegara nem a atravessar o pátio quando uma meia dúzia de alunos da sétima e oitava séries me atacou em gangue; eles me causaram um estrago físico e emocional suficiente para que a escola me mandasse de volta para casa antes do término das aulas. Daquele dia em diante passei a receber chutes, socos, cuspes ou beliscões unicamente por causa da cor da minha pele. Permanecer deitado sobre a sujeira e a graxa debaixo de um caminhão era a verdadeira paz em comparação à realidade cruel da área externa do prédio da escola. Aquela garagem se tornou meu refúgio contra o racismo.

Finalmente a escola descobriu e me proibiu de utilizar o esconderijo. Então, eu decidi propositalmente obter notas baixas em matemática para ser "forçado" a continuar dentro da classe durante o recreio em vez de sair para brincar com as outras crianças. Fiquei feliz com minha decisão de me tornar um dos que precisavam de tempo e atenção extra dos professores, porque aquilo me protegia do abuso e da discriminação.

Tive sorte de a reserva indígena não dispor de ensino médio especial para nativos. Os alunos que se graduavam no ensino fundamental eram enviados para uma escola pública muito maior cerca de 30 km de distância fora da reserva. De repente, comecei a fazer parte da maioria étnica (caucasiana); deixei de ser discriminado. Meus colegas de classe que eram índios norte-americanos nativos, que até então perfaziam a maioria, tornaram-se a minoria e então passaram a ser "chateados" por seus colegas caucasianos. De maneira chocante, cerca de 40% dos jovens nativos norte-americanos desistiam antes de completarem duas semanas no ensino médio. Em geral, o sistema da reserva, que funcionara como uma bolha protetora, agora trabalhava contra os jovens índios já que os preparara de modo contraprodutivo para a realidade de um mundo demograficamente muito diferente.

De maneira interessante, no meu novo mundo demográfico descobri que, mesmo deixando de ser objeto de discriminação, era impossível livrar-me do conhecimento que adquirira a respeito de como era ser molestado e aterrorizado por ser diferente. Posso não ter percebido naquela época, mas minha experiência com a diversidade na infância modelou minha visão sobre a vida e, em seguida, minha carreira.

A forte impressão que ficou em minha mente fez-me trilhar o caminho de desenvolver pesquisas no sentido de ajudar a aprimorar o relacionamento entre as pessoas e cultivar o bem comum. Quando fundei a HR Solutions, em 1995, seu conceito principal era, e ainda é, ajudar as organizações a tratar melhor as pessoas mediante pesquisas realizadas com funcionários e clientes, permitindo que eles verbalizem o que amam a respeito da empresa e o que pode ser aprimorado.

Um dos focos mais importantes sempre foi promover a diversidade no local de trabalho. Mediante nossas consultorias e pesquisas, encontramos forte correlação entre **satisfação pela diversidade**, **satisfação geral com o emprego** e **engajamento de funcionários.** Para as empresas, isso significa que os funcionários que se sentem satisfeitos pela diversidade dentro da organização apresentam maior propensão a se sentirem bem em fazer parte da empresa. Isso se traduz em empenho espontâneo elevado e retorno sobre investimento, ou seja, nos principais benefícios do engajamento de funcionários. Para atrair e engajar grandes talentos, é fundamental que, além de empregar uma equipe diversificada, a organização se esforce continuamente para assegurar que todos os funcionários e clientes sejam tratados com o mesmo respeito.

Em resumo, tomei para mim a missão de ensinar aos outros a respeito das surpreendentes e maravilhosas diferenças entre as pessoas de diversas etnias, idades, religiões e gêneros. Estimular a diversidade, além de ser a atitude correta, gera melhores resultados corporativos. Eu realmente acredito que ao ensinarmos o valor da diversidade aos adultos, conseguimos chegar também aos filhos deles e criar uma realidade diferente para as gerações futuras. Tenho certeza de que todos os pais querem que seus filhos vivam em um mundo onde possam brincar com os amigos durante o recreio, ao contrário de se esconder de outros alunos.

Incapacitações físicas

As pessoas portadoras de deficiência física também fazem parte da diversidade no ambiente de trabalho, mas, muitas vezes, são negligenciadas. Por exemplo, é extremamente raro encontrar um cadeirante retratado como um profissional muito bem-sucedido. Isso espelha a visão da sociedade a respeito de pessoas portadoras de necessidades especiais – elas são, em geral, esquecidas ou não percebidas como parte importante do local de trabalho. A Lei dos Norte-americanos Portadores de Deficiência (ADA)[c] foi promulgada em 1990 para garantir os direitos civis dessa parcela da sociedade. Em termos de obtenção de direitos iguais, essa minoria populacional não está acostumada à inclusão. Embora mais de vinte anos tenham se passado desde que a lei foi promulgada, muitas organizações ainda não fizeram muito progresso na incorporação de indivíduos com incapacidades físicas no ambiente profissional. De acordo com uma pesquisa recente, as empresas estão perdendo a oportunidade de obter empregados muito talentosos e de engajar funcionários não deficientes.

Um estudo realizado pela Rede de Adaptação ao Trabalho (JAN)[d] revelou forte evidência de que a contratação de pessoas fisicamente incapacitadas, além de ser muito boa para o engajamento geral de funcionários, gera menos custos no longo prazo do que empregar indivíduos sem necessidades especiais. Cinquenta e seis por cento das companhias que realizaram adaptações no local de trabalho para contratar um funcionário com necessidades especiais disseram que as conversões não custaram absolutamente nada. Outros 37%

---

c - Americans with Disabilities Act. (N.T.)

d - Job Accommodation Network. Serviço oferecido pelo departamento de Políticas de Emprego do governo dos EUA. (N.T.)

tiveram um gasto médio único no valor de US$ 600 dólares. A maioria dessas empresas experimentou significante retorno sobre o investimento que fizeram tanto em termos de tempo quanto de dinheiro. A estabilidade oferecida pelas pessoas com alguma deficiência física é de aproximadamente sete anos, muito mais elevada que a média dos funcionários sem qualquer incapacitação. De acordo com a JAN, pode ser muito mais desafiador para um candidato deficiente encontrar um emprego que lhe seja adequado, então, ele tende a ser bem mais leal a seu empregador que os funcionários não deficientes.

Ademais, 62% das empresas reportaram que a acomodação de empregados com deficiência elevou o estado de espírito geral da companhia, e 59% revelaram aumento na produtividade da organização. Para enfatizar ainda mais essa questão, 32% referiram alcançar lucros mais altos e 18% evidenciaram crescimento em sua clientela.

Aumentando a representação da minoria

Aumentar a representação da minoria pode ser uma tarefa complexa, tendo em vista que a meta da contratação não se baseia especificamente em empregar um candidato de determinada etnia ou demografia, mas em encontrar o melhor candidato possível para a vaga. A chave para o apoio à representação da minoria é uniformizar o campo de ação entre todos os candidatos. Existem várias abordagens táticas que as empresas podem tomar para elevar a diversidade.

Aumente o grupo de candidatos

Quando existem mais candidatos entre os quais se precisa escolher torna-se mais provável a candidatura de indivíduos diferentes. O aumento das opções de contratação ajuda as organizações a expandir o grupo de interessados. Outra boa opção, além de se publicar a abertura de vagas em portais de empregos, é buscar candidatos em organizações locais e profissionais voltadas à diversidade.

Se a sua empresa costuma trabalhar com agência de empregos, solicite "candidatos diversos" para preencher suas vagas em aberto. Muitas empresas não pedem especificamente por "candidatos diversos," o que contribui para a falta de diversidade nos grupos de talentos que lhes são apresentados. Existe grande competição por "funcionários diversos" em posições executivas, portanto, o planejamento da sucessão é fundamental para as opções de contratação em se tratando de diversidade.

Promova o avanço de carreira para a minoria

Empregar um conjunto de pessoas diversas não é o suficiente. As organizações também devem promover os "funcionários diversos" a cargos mais elevados. A melhor rota a se desenvolver para que esses funcionários alcancem altos cargos é empregá-los em posições mais baixas e fornecer aos mesmos um claro caminho para o avanço da carreira dentro da organização.

Muitos empregados acreditam que as posições de nível executivo são inalcançáveis. Por exemplo, se não existe nenhum líder sênior na empresa que tenha assumido publicamente sua homossexualidade, um colaborador que tenha se declarado *gay* poderá presumir que suas chances de avanço na carreira são pequenas. Essa percepção é prejudicial para a retenção e o engajamento da minoria, já que o desenvolvimento de carreira é o propulsor-chave Nº 2 do engajamento. A fim de encorajar os funcionários talentosos dentro das minorias a continuar na empresa e a prosperar, as organizações devem – além de simplesmente discorrer sobre as promoções – realmente tomar atitudes para que elas se realizem. Se a alta administração e a diretoria executiva não são diversificadas **hoje**, muitos funcionários poderão assumir que tal diversidade não irá se configurar em um futuro próximo, e então pedir demissão por causa dessa suposição. Assegure que sua empresa esteja transmitindo a mensagem correta sobre avanço na carreira para as minorias, demonstrando a elas suas reais possibilidades.

Faça com que todos tenham a responsabilidade pela promoção da diversidade

Quando não se exige de ninguém o cumprimento das iniciativas corporativas, pouco é executado. O mesmo acontece com a diversidade. A responsabilidade não deve residir apenas nos ombros do departamento de RH; os empregados e gestores também são responsáveis pelas metas corporativas relacionadas à diversidade.

O empenho para a promoção da diversidade deve ser avaliado por meio de várias métricas baseadas no papel desempenhado por funcionários em posições específicas. As exigências relativas à diversidade podem ser incorporadas às expectativas de desempenho e avaliadas no período de revisão.

As auditorias internas de diversidade configuram uma melhor prática. A administração sênior e os líderes das iniciativas de diversidade devem ter claro entendimento sobre a fuga demográfica e as razões que embasam as antigas decisões relativas a contratações, promoções e demissões. Tal auditoria pode revelar o grau de sucesso de vários planos de ação, bem como áreas para futuro aprimoramento.

O reconhecimento da excelência

Os empregados precisam estar cientes não apenas sobre o empenho, mas também dos sucessos alcançados pela diversidade, tanto em grau individual como corporativo. Essa é uma parte crítica na demonstração de comprometimento com a diversidade, e também para se alcançar o engajamento. Existem muitos meios de se comunicar os esforços em prol da diversidade. Eles incluem:

- A publicação em locais de destaque nas instalações de trabalho e também no *site* da empresa, ou no sistema de Intranet, de uma declaração sobre o compromisso de abraçar e promover a diversidade. Esse parecer deve explicar por que a organização valoriza a diversidade e de que modo os funcionários se beneficiam de um ambiente diverso.
- O fornecimento de informações e atualizações regulares a toda a equipe de trabalho sobre a diversidade corporativa. Esses informativos podem incluir notícias a respeito de Grupos de Apoio aos Funcionários (ERGs),[e] doações realizadas em apoio à diversidade e a demografia do local de trabalho quando a representação da minoria se eleva.
- A verificação da possibilidade de se implantar um programa de premiação à diversidade a fim de reconhecer as pessoas que demonstram compromisso com a diversidade e a inclusão. Demonstrar apreço pelos funcionários que valorizam as diferenças de maneira ativa irá encorajar outros membros da equipe a se envolver em iniciativas relacionadas à diversidade. Ademais, essa ação irá promover o compromisso da empresa com o aperfeiçoamento das iniciativas.

Encorajando futuras gerações

Alcançar a juventude presente nas minorias é uma ótima maneira de estabelecer um canal para futuros candidatos de grupos diversos. Quando se comunicam com as crianças e adolescentes, mostrando a eles o que é possível realizar dentro de uma empresa e de um setor, as organizações conseguem gerar impacto sobre o plano de carreira desses jovens. Os empregados que representam as minorias na empresa podem conectar-se a esses jovens por meio de palestras em escolas locais ou em centros comunitários. As

---

e - Employee Resource Groups (ERGs). Também chamados Affinity Groups e Business Network Groups, são grupos de funcionários unidos por características semelhantes (etnia, gênero, orientação sexual, geração, religião, deficiência física etc.) que recebem apoio da empresa na qual trabalham. (N.T.)

crianças e adolescentes também podem ser convidados a conhecer a empresa para conhecerem as profissões e opções de carreira com mais profundidade. À medida que mais minorias adentram um ramo de negócio, sua representação naturalmente se eleva.

Porém, manter a esperança no crescimento da diversidade não é o suficiente. Mudanças reais necessitam do mesmo nível de planejamento utilizado para se alcançar outras metas corporativas. É fundamental criar um plano de ação documentado para elevar a representação da minoria. As metas devem ser mensuráveis por meio dos resultados apresentados para assegurar que o progresso seja rastreado.

Para alcançar progresso é de suma importância que a liderança sênior firme o valor dos esforços direcionados à diversidade. Quando demonstra ativamente seu apoio pela diversidade e pela inclusão, a alta administração se torna o agente da mudança.

Estudo de caso – Africa.com

O *site* Africa.com foi lançado em fevereiro de 2010 para promover a interação das pessoas ao redor do mundo com a África. Sua missão é clara: **"Mudar a maneira como o mundo enxerga a África e funcionar como um portal *on-line* para o engajamento mundial com o continente africano."** O *site* recebe visitas de todos os cantos do mundo incluindo pessoas da Ásia, da Austrália e das Américas do Norte e do Sul e até mesmo da própria África. Seu mercado não se restringe somente à diversidade racial, mas também à geográfica, à socioeconômica e à tecnológica. O resultado disso é uma definição bastante ampla do termo diversidade.

"É importante que tenhamos diversidade em nosso ambiente porque isso é relevante para nossos negócios", diz Teresa Clarke, fundadora e diretora-executiva da Africa.com. **"O fato de sermos 'diversificados' nos proporciona melhor desempenho comercial."**[6] Teresa Clarke acredita que para que a diversidade seja sustentável ela precisa ter conexão direta com o ponto principal. As pessoas acessam o *site* por diferentes necessidades; os africanos, por exemplo, em busca de notícias locais e eventos culturais; os norte-americanos e europeus estão interessados em safáris. Alguns acessam o *site* por meio de conexão discada, enquanto outros utilizam banda larga de altíssima velocidade. O Africa.com também serve à comunidade LGBT (lésbicas, *gays*, bissexuais, travestis e transexuais) já que a Cidade do Cabo se tornou um dos destinos turísticos internacionais mais visitados por essas pessoas, depois da decisão sul-africana, em 2006, de legalizar o casamento entre indivíduos do mesmo sexo. Portanto, o entendimento da relação dos clientes diversos com os produtos e serviços disponibilizados no *site* gera impacto direto no resultado da empresa. O África.com trabalha constantemente para se certificar de que está se conectando com todos os seus usuários.

Para atender seus clientes, Teresa Clarke quis montar uma equipe diversificada. A empresa emprega africanos do norte, sul, leste e oeste, além de norte-americanos. Os empregados do África.com não são apenas racial e culturalmente distintos, são diferentes também em idade, gênero e experiência. Ao contrário de contratar pessoas somente do setor de tecnologia, a empresa procurou um grupo de indivíduos que apresentasse uma variedade em termos de habilidades, o que inclui banqueiros e consultores financeiros já aposentados. **"Como trabalhamos com problemas diferentes é interessante ver de que maneira cada um aborda cada tópico, baseando-se em seu próprio conjunto de habilidades"**, diz Teresa Clarke (na entrevista citada anteriormente). "Nossa diversidade empresta mais criatividade a tudo o que realizamos, o que nos permite desafiar as maneiras tradicionais de pensar", complementa Teresa Clarke. Essa abordagem ajudou a criar uma CM na qual os funcionários se sentem estimulados a ir para o trabalho e animados a respeito do que estão ajudando a criar. Eles realmente estão inseridos na cultura e nos valores compartilhados da organização. O África.com também fomentou uma cultura de alto desempenho, o que não é muito comum a empresas do seu porte. Mas, como diz Teresa Clarke: **"Somos ambiciosos."**

É importante lembrar-se da diversidade também na escolha dos fornecedores. Durante a criação do logotipo para o *site* África.com, a empresa inicialmente considerou *designers* dos EUA. Porém, todas as propostas mostravam visões estereotipadas da África, baseadas em pontos de vista norte-americanos comuns. "Todas as opções traziam animais, padrões de tecidos africanos e o formato do continente!" reconta Teresa Clarke. Em vez de continuar sua busca por *designers* norte-americanos, a empresa decidiu procurar talentos fora do país e encontrou um *site* da Argentina chamado Choosa. O África.com iniciou um concurso no *site* Choosa para a criação de seu logotipo e *designers* de todo o mundo tiveram a chance de enviar sugestões. Teresa Clarke, então, recebeu diversas opções bastante diferentes da América do Sul, considerando estereotipagem distinta desse continente em relação à África.

Surpreendentemente, o *design* vencedor incluía um dos estereótipos, mas Teresa Clarke não percebera (Figura 6.2). Ela pensou tratar-se de uma forma abstrata, da qual ela gostou pela originalidade da criação. No entanto, o *designer* nomeou sua arte como *A Face da África*, e que o Africa.com percebeu referir-se à face de um leão. O artista disse que a utilização de espaços positivos e negativos representa o que a África foi, o que ela é e o que será. Ao considerar essa nova informação, Teresa Clarke entendeu que o *design* finalmente se adequava à empresa porque mostrava de que modo uma imagem estereotipada se transformava para abranger algo muito maior. Pela oportunidade de refletir sobre a arte de um grupo diverso de candidatos, a **companhia** conseguiu encontrar um logotipo que combinasse perfeitamente sua missão e declaração: **"Mudar a maneira como o mundo enxerga a África."**

Figura 6.2 Design vencedor e logotipo atual do site Africa.com

Grupos de Apoio aos Funcionários

Uma excelente maneira para as organizações apoiarem a diversidade é por meio dos Grupos de Apoio aos Funcionários (ERGs). Esses grupos são estabelecidos e promovidos por funcionários como um meio para oferecer assistência a pessoas com interesses comuns. Os grupos são geralmente direcionados a minorias demográficas que poderiam se beneficiar em participar de uma rede de indivíduos com experiência e interesses similares. Além de elevar o engajamento dos funcionários pela promoção da diversidade cultural, os ERGs ajudam a organização a aprimorar a oferta de produtos e serviços para clientes diversos.

Estudo de caso – PepsiCo

Detentora do segundo maior portfólio mundial de marcas bilionárias de alimentos e bebidas, a PepsiCo entende de que maneira os ERGs podem se tornar parceiros de negócios estratégicos conforme mobilizam vários mercados consumidores. Os empregados que fazem parte das ERGs conseguem imaginar maneiras pelas quais a organização pode melhor alcançar consumidores com experiências similares.

"Nossos funcionários têm a habilidade de fazer a diferença e contribuir para o desempenho da companhia", diz Cynthia Trudell, vice-presidente executiva, diretora de Recursos Humanos e diretora executiva de Pessoal da PepsiCo.[7] A PepsiCo acredita que o apoio à diversidade e à inclusão ajuda os funcionários a "mergulhar de corpo e alma" no trabalho, o que gera elevação nos níveis de engajamento, criatividade e produtividade. Quando os empregados entendem que a experiência diversa deles é valorizada, sentem poder para partilhar seus pontos de vista e sugestões a fim de aprimorar a empresa.

Por exemplo, o ERG asiático sugeriu à liderança sênior que a empresa deveria aumentar seu *marketing* direcionado às tradições e celebrações asiáticas, especificamente aquelas ligadas à cultura indiana. Com a ajuda do ERG, o time de *marketing* da PepsiCo planejou produtos e desenvolveu promoções que coincidissem com uma celebração especial indiana. Os resultados foram muito positivos, no entanto, é bem possível que a PepsiCo não tivesse percebido a oportunidade de campanha sem a ajuda dessa ERG específica.

Outro sucesso obtido pelos ERGs da PepsiCo foi o desenvolvimento de dois isotônicos, um Gatorade especial com certificação *kosher* e outro denominado G2[f]. A sugestão de produtos *kosher* foi dada por dois funcionários; a empresa apoiou a ideia e ajudou a torná-la realidade. Os empregados trabalharam com gestores para planejar o desenvolvimento dos produtos e conseguir a certificação, utilizando como base os conhecimentos de um dos funcionários sobre as exigências da alimentação *kosher*. Além disso, os dois também ajudaram a criar um plano promocional detalhado para os produtos *kosher* voltado para seus consumidores. Essa iniciativa alcançou sucesso em várias frentes:

- Demonstrou aos funcionários que as ideias deles têm valor.
- Mostrou aos empregados e aos clientes que a PepsiCo valoriza a diversidade.
- Aumentou a receita da empresa ao oferecer um produto diferenciado.

Cynthia Trudell conta que os gerentes na PepsiCo encorajam ativamente os empregados a se unir aos ERGs e colher os benefícios oferecidos por tais grupos, mesmo que os encontros e as responsabilidades ocorram dentro do horário comercial. **"Esses grupos perderiam o sentido se a gerência não permitisse que seus subordinados participassem deles por incompatibilidade de horário,"** diz Cynthia Trudell. A PepsiCo se esforça

f - O G2 é uma versão do Gatorade com metade das calorias da bebida original. Ainda não foi lançado no Brasil. (N.T.)

para se mostrar sensível às particularidades de seus funcionários, portanto, estimular o envolvimento deles nos ERGs é uma maneira simples de apoiá-los.

Diferença de gerações

As pessoas são produto da cultura na qual cresceram. A cultura se altera dramaticamente ao longo dos anos produzindo gerações de indivíduos com pontos de vista específicos ao local e ao período em que alcançaram maturidade. Esses pontos de vista impregnam nossa personalidade tão profundamente que é desnatural esperar que mudemos com o tempo. Embora indivíduos de gerações mais antigas utilizem e adotem novas tecnologias, a essência dessas pessoas geralmente permanece enraizada nas características específicas da geração em que foram criadas.

As variações de geração representam um dos principais fatores da diversidade no local de trabalho. Pessoas de diferentes épocas podem passar por dificuldades de compreensão e de relacionamento entre si, simplesmente por conta de diferenças de expectativas e normas culturais. Por exemplo, um mileniano provavelmente sabe tanto sobre bocha ou malha quanto um tradicionalista conhece sobre Nintendo DSi. A falta de familiaridade com alguns termos ou ideias pode gerar **erros de comunicação**. Algo completamente natural a uma geração pode parecer rude, ignorante ou contraproducente para outra. As empresas precisam atentar para o papel que tais pontos de vista desempenham no ambiente profissional e ensinar aos funcionários maneiras para se relacionarem melhor entre si.

No ambiente de trabalho norte-americano existem atualmente quatro gerações: os tradicionalistas, os *baby boomers*, a geração X e os milenianos (Figura 6.3). Todas essas gerações ostentam diferenças e similaridades. Para melhor engajar sua equipe o empregador deve entender essas disposições.

Tradicionalistas – nascidos entre 1929 e 1946

População nos EUA: 27 milhões e 6 milhões atualmente empregados

Essa geração passou por dificuldades financeiras durante a juventude e, mais tarde na vida, experimentou períodos prósperos. Esses indivíduos dispõem de forte senso de dever e sacrifício, respeito pela autoridade e confiança no governo; eles valorizam a responsabilidade e a ética e acreditam que as promoções e o reconhecimento vêm com a experiência acumulada no serviço. Os tradicionalistas são leais ao empregador e esperam a mesma atitude em retorno. Não sustentam a crença de que o trabalho deve ser divertido e buscam realização pessoal de outras maneiras e o reconhecimento vêm com a experiência acumulada no serviço. Os tradicionalistas são leais ao empregador e esperam a mesma atitude em retorno. Não sustentam a crença de que o trabalho deve ser divertido e buscam realização pessoal de outras maneiras.

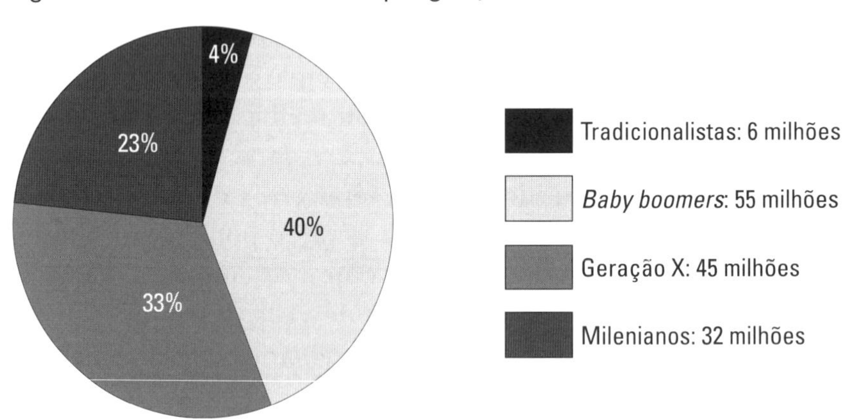

Figura 6.3 - Mão de obra nos EUA por geração

Marcos importantes:

- A Grande Depressão.
- A Segunda Guerra Mundial.
- G.I. Bill.[g]

Pessoas influentes:

- Henry Ford.
- Charles Lindbergh.
- Winston Churchill.
- Franklin D. Roosevelt.

Dicas para reter funcionários tradicionalistas:

- Explore os fortes laços que eles têm com a comunidade.
- Delegue a eles a posição de embaixadores da organização.
- Ofereça-lhes aposentadoria gradativa, permitindo que se afastem progressiva e vagarosamente da empresa.
- Reestruture as características do trabalho por eles realizado para reduzir a ênfase em tarefas físicas, substituindo-as por atividades relacionadas ao conhecimento e à experiência.

---

g - O *G. I. Bill*, como ficou conhecido, oferecia aos veteranos norte-americanos, que estiveram em serviço ativo nas forças combatentes por pelo menos 90 dias sem punição ou falta grave, quatro maneiras de aprimorar suas condições socioeconômicas quando retornassem para os EUA. O primeiro benefício ajudaria os veteranos a encontrar empregos adequados de acordo com suas habilidades profissionais; o segundo benefício concedia ao veterano desempregado um ano de indenização por desemprego, na razão de US$ 20 por semana; o terceiro estabelecia que a *Veterans Administration* garantisse empréstimos (aos veteranos) para a aquisição ou construção de casa, fazenda ou pequeno negócio, como uma espécie de fiadora, livrando os ex-combatentes do fantasma da hipoteca. O quarto benefício garantiria o pagamento dos estudos superiores e/ou profissionalizantes dos veteranos por quatro anos, em qualquer estabelecimento de ensino do país. (N.T. conforme artigo *"As Guerras Mundiais e seus veteranos: uma abordagem comparativa"*, *Rev. Bras. Hist*. vol.28 no.56 São Paulo 2008.)

Propulsores de engajamento para empregados tradicionalistas:

- Propulsor-chave 6 – Relacionamento da administração sênior com os funcionários.
- Propulsor-chave 4– estratégia e missão – Em especial, a liberdade e a autonomia para alcançar o êxito e contribuir para o sucesso da organização.

Baby boomers – nascidos entre 1947 e 1965

População nos EUA: 76 milhões e 55 milhões empregados atualmente
Nos EUA, "o sonho americano" foi prometido a essa geração quando seus integrantes ainda eram crianças, e é justamente para conquistá-lo que essas pessoas trabalham. A perspectiva desses indivíduos foi delineada pelo Movimento dos Direitos Civis, pela Guerra do Vietnã e pela mentalidade de espírito livre nos anos 1960 e 1970. Os *baby boomers* acreditam em direitos iguais e nas oportunidades e são orientados por metas e sucesso financeiro. Durante a maior parte de sua vida, essas pessoas vivenciaram períodos cada vez mais prósperos, o que as levou ao consumismo e à mentalidade "gaste agora, preocupe-se depois". Os *baby boomers* acreditam em trabalho em equipe e na construção de relacionamentos com outros indivíduos. Sua identidade muitas vezes é ditada pela carreira que escolhem seguir, e muitos **"vivem para o trabalho"**. O desequilíbrio vida/trabalho é comum a essa geração.

Marcos importantes:

- O movimento dos Direitos Civis.
- A Guerra Fria.
- Os assassinatos de J. F. Kennedy, Martin Luther King Jr. e Robert Kennedy.
- A guerra do Vietnã.

- A chegada do homem à Lua.
- O festival de Woodstock.

Pessoas influentes:

- Os Beatles.
- Lee Iacocca.
- Henry Kissinger.
- Jack Welch.

Dicas para reter funcionários baby boomers:

- Demonstre atitude democrática perante a equipe.
- Potencialize a habilidade de *mentoring* desses indivíduos em relação aos novos funcionários.
- Forneça oportunidades de treinamento para mantê-los competitivos no ambiente profissional.

Propulsores de engajamento mais importantes para os *baby boomers:*

- Propulsor-chave 2 – Desenvolvimento de carreira
- Propulsor-chave 5 – As características do trabalho – habilidade de realizar aquilo para que se tem vocação

Geração X – nascidos entre 1966 e 1979

População nos EUA: 60 milhões e 45 milhões atualmente empregados
Os indivíduos dessa geração cresceram com muito tempo livre à sua disposição. Isso criou uma geração autossuficiente que valoriza o controle do próprio tempo. São céticos com relação à autoridade e não sentem que devem lealdade a seu empregador. Eles são mais cínicos que os indivíduos das gerações anterior e posterior. Essas pessoas focam em avanços na carreira, no desenvolvimento

de habilidades e em resultados ao longo dos processos. Elas questionam a razão por trás das políticas e dos procedimentos e desejam comunicação aberta.

Marcos importantes:

- O movimento feminista.
- A disseminação do *rock*.
- A explosão do ônibus espacial *Challenger* durante sua decolagem.
- A queda do muro de Berlim.
- A epidemia da Aids.
- O aumento da taxa de divórcios.

Pessoas influentes:

- Bill Gates.
- Steve Jobs.
- Michael Jackson.
- Madonna.

Dicas para reter empregados da geração X:

- Conecte a importância do trabalho dessas pessoas ao plano geral da empresa.
- Ofereça oportunidades de aprendizado e treinamento.
- Promova o envolvimento dos funcionários.
- Seja flexível quanto a prazos finais.
- Foque em resultados.

Principais propulsores de engajamento para os indivíduos da geração X:

- Propulsor-chave 4 – estratégia e missão – Em especial, a

liberdade e a autonomia para alcançar êxito e contribuir para o sucesso da organização.

- Propulsor-chave 7 – Comunicação aberta e eficaz.

Milenianos – nascidos entre 1980 e 1992

População nos EUA: 88 milhões e 32 milhões atualmente empregados
Os milenianos cresceram sob a proteção de seus pais e foram mantidos constantemente ocupados enquanto eram crianças. Eles trabalham melhor em ambientes estruturados, em que mentores os ajudam a aprimorar suas habilidades. Os milenianos são muito confiantes e prosperam sob gratificação e reconhecimento instantâneos. São comunicadores constantes e procuram orientação de maneira ativa. Completamente diferentes dos *baby boomers*, os milenianos percebem a carreira como um dos elementos de sua vida, **não como o elemento principal**. Eles querem que o trabalho lhes forneça realização pessoal e que apoie um equilíbrio positivo entre vida e trabalho. São apaixonados por causas específicas e querem tornar o mundo um lugar melhor. Eles aprenderam com seus pais e avós que a lealdade a uma organização nem sempre leva à estabilidade e ao sucesso. Por esse motivo, as empresas devem lealdade e confiança aos milenianos.

Marcos importantes:

- A Internet.
- Os ataques terroristas de 11 de setembro nos EUA.
- O massacre de Columbine.
- A "guerra ao terror".
- A ascensão das redes sociais.

Pessoas influentes:

- Steve Jobs.
- Mark Zuckerberg.
- Britney Spears.
- Venus e Serena Williams.
- Príncipe William e princesa Kate Middleton.

Dicas para retenção de talentos da geração do milênio:

- Crie um ambiente de trabalho colaborativo e orientado por *feedback*.
- Mantenha comunicação frequente.
- Assegure que os programas de treinamento sejam abrangentes e completos.
- Estabeleça um ambiente de trabalho estruturado e que forneça apoio.
- Reconheça o sucesso frequentemente.
- Forneça oportunidades de desenvolvimento.
- Sugira oportunidades de trabalho voluntário.
- Promova conexão com mentores disponíveis.
- Utilize técnicas de treinamento multidisciplinares.

Propulsores de engajamento mais importantes aos milenianos:

- Propulsor-chave 1– Reconhecimento.
- Propulsor-chave 10 – Cultura organizacional e valores essenciais/compartilhados.
- Propulsor-chave 8 – cooperação/satisfação do colega de trabalho – A grande responsável pela retenção de funcionários.

A diversidade de gerações pode ser uma das características que geram solidez à organização ou a causa-raiz de tensão interna. Portanto, é vital reconhecer as diferenças e similaridades das diversas gerações presentes na mão de obra para estimular um ambiente que apoie todos os empregados.

Milenianos: você não os "retém", apenas os "desenvolve"

Nos EUA, os milenianos constituem cerca de 25% da mão de obra do mercado de trabalho desde 2009,[8] e esse número continuará a aumentar conforme as gerações mais maduras forem se aposentando. Tendo em vista que os milenianos representam a geração que está crescendo mais rapidamente no ambiente profissional e que as outras gerações tiveram até agora pouco tempo para se acostumar àquilo que coloca os milenianos em ação, gostaria de me concentrar nessa parcela demográfica.

Acima de tudo, historicamente, sempre que gerações mais jovens entram no mercado de trabalho ocorre certa comoção entre os trabalhadores mais antigos. Quando você começou a trabalhar – independentemente de ser da geração X, *baby boomer* ou tradicionalista – as pessoas de outras gerações também ficaram imaginando o que se passava em sua cabeça. As normas sociais naturalmente se alteram com o passar do tempo, e a geração mais nova está sempre se orientando pelas mudanças e se alinhando a elas. A variação de pontos de vista de percepções muitas vezes torna o relacionamento entre as partes um desafio. Entretanto, os gestores estarão mais aptos a engajar seus empregados e a estimular um ambiente que apoie **todas** as gerações entenderem os fatores que levam as diferentes gerações a pensar e a agir de maneira específicas e diferenciadas.

Regras de comunicação

As percepções dos milenianos com relação ao mundo profissional refletem a cultura moderna. A tecnologia moldou os milenianos para que eles se tornassem uma geração que se comunica com grande frequência. Embora muitos milenianos provavelmente tenham passado pela experiência de escrever uma carta utilizando-se de lápis e papel, e então enviá-la para um colega pelo correio durante o ensino fundamental, a maioria deles não consegue imaginar um atraso de uma semana ou mais para que uma pessoa receba uma mensagem. É muito comum ver milenianos trocando mensagens de texto com seus amigos o dia todo, todos os dias. Essa geração adora se manter em contato com suas várias centenas de "amigos", e falar a respeito do que está "rolando" na vida diária de cada um, por meio de *tweets* ou da atualização de seus *status* nas redes sociais.

A facilidade da interação social modelou a percepção dos milenianos com relação às regras de comunicação de uma forma muito diferente daquela à qual as gerações mais antigas estavam acostumadas. Mesmo o correio de voz parece ultrapassado para os milenianos, que preferem ler seus recados e mantê-los gravados para futuras consultas. A preferência pela comunicação virtual constante é totalmente normal para os milenianos, que, aliás, a transferem de maneira natural para o local de trabalho. Gerações mais antigas muitas vezes têm dificuldade com relação a essa necessidade e se sentem como peixes fora d'água quando se comunicam virtualmente. Em contrapartida, dar um tom profissional à escrita nem sempre é fácil para os milenianos, que estão acostumados a se comunicar em 140 caracteres, ou menos. Quando pressionados a se comunicar por meio de métodos que lhes são menos familiares, esses empregados enfrentam dificuldades para transmitir uma mensagem clara, com o devido entendimento das nuanças de etiqueta. Por isso, sessões de treinamento podem ser benéficas para ajudar os funcionários a entender as diferenças nas normas de comunicação.

Courtney Pike, vice-presidente da Job Bound Outplacement e da JB Training Solutions, é especialista em treinamento em ambiente profissional e *coaching* na área de diferenças entre gerações. A *expertise* de sua empresa é ensinar aos milenianos como realizar a transição entre a vida universitária e o mundo profissional, e ajudar os gestores a se relacionar com essa geração específica. Courtney Pike gerencia uma equipe de funcionários milenianos e se orgulha de ter criado um ambiente de trabalho favorável a eles.

Ela se reúne com sua equipe uma vez por dia para se manter a par dos projetos e para dirimir as dúvidas de seus empregados. Embora para ela uma reunião por dia seja até demais, Courtney Pike preferiu se adequar às necessidades de orientação e instrução dos milenianos. Após várias semanas, a equipe foi até ela e pediu para conversar a respeito da frequência das reuniões. Um jovem membro da turma disse: **"Ter uma reunião diária contigo é realmente ótimo."** Courtney Pike ficou feliz porque finalmente a equipe estava se sentindo confiante o suficiente para não precisar mais das reuniões todos os dias, e disse: **"Claro, podemos ajustar isso!"** Então, o mileniano explicou a situação: "Na verdade, gostaríamos de nos reunir duas vezes por dia. Não recebemos orientação suficiente quando nos encontramos apenas uma vez ao dia."[9] Brad Karsh, presidente da Job Bound Outplacement e da JB Training Solutions, adora contar essa história porque ela ilustra perfeitamente o quanto os milenianos são diferentes das demais gerações.

Além de terem crescido em um mundo em que a tecnologia da comunicação é melhor, os milenianos realizaram mais atividades sob a orientação de seus professores, instrutores e/ou tutores.

"Eles estão acostumados a olhar para cima e encontrar ali alguém que diga a eles o que devem fazer," diz Brad Karsh. Considerando que os milenianos estão acostumados à estrutura e ao direcionamento, eles se sentem muito mais confortáveis em um ambiente no qual percebem exatamente o que os outros esperam deles e sabem de maneira precisa como realizar o trabalho. Essa é uma atitude muito diferente das gerações que os antecederam. **"O maior presente que você pode dar a um indivíduo da geração X ou a um *baby boomer* é lhe designar um projeto, explicar que ele tem duas semanas para entregar o trabalho e então dizer a ele que se vire,"** diz Brad Karsh. **"Se você fizer isso com um mileniano ele 'entrará em parafuso' e voltará à sala do gerente dez minutos depois com 17 perguntas."**[10]

Essa variação de preferência por direcionamento é uma questão sobre a qual as diferentes gerações divergem. Os gestores mais velhos acham que estão fornecendo excelente direcionamento aos seus subordinados diretos, mas os jovens funcionários muitas vezes discordam. Estes podem sentir que seu superior está lhes proporcionando informações limitadas, e não entendem o motivo. A percepção de falta de comunicação apropriada é um potente desmagnetizador, portanto, os gerentes precisam adaptar seu estilo de comunicação para que este se torne mais eficaz com os milenianos.

Uma geração especial

Os milenianos, na maioria das vezes, são vistos por outras gerações como a parte arrogante da força de trabalho. Contudo, as atitudes dos milenianos derivam da maneira como foram criados, em uma cultura em que **todo o mundo** é especial. Os indivíduos das gerações anteriores ativamente evitaram ferir a autoconfiança das crianças do milênio glorificando-as e reconhecendo-as muito mais do que eles próprios foram reconhecidos nessa idade. Em essência, o primeiro lugar, o segundo lugar e o terceiro lugar são acompanhados, atualmente, do quarto, quinto, sexto, sétimo lugares, e por aí afora...

Por meio de seus *workshops* com milenianos, Karsh descobriu que eles apreciam ser reconhecidos, em média, sete vezes por dia. Certamente, essa não era a regra para as gerações anteriores. Em relação a prover reconhecimento aos meus colaboradores milenianos em caráter diário, particularmente sempre prefiro responder aos seus *e-mails* no mesmo dia, ainda que seja apenas para dizer "obrigado." Essa ação mostra a eles que eu recebi o que me enviaram, li e apreciei seu esforço.

Por um lado, a evolução cultural do reconhecimento outorgou certo tipo de poder aos milenianos, o que incentiva sua confiança e instila neles a crença de que podem realizar qualquer coisa que se disponham a fazer; por outro, tornou-os esperançosos por reconhecimento e atenção a um grau que pode ser desafiador no ambiente de trabalho. De acordo com muitos estudos, os jovens têm se tornado muito mais egocêntricos e narcisistas que no passado. Conforme o Inventário de Personalidade Narcisista (NPI)[h] ocorreu um aumento de 30% no grau médio de **narcisismo** entre os universitários de 1982 a 2006.[11] O teste pessoal composto de 40 questões é um índice psicológico amplamente utilizado para avaliar características de personalidade como direito adquirido, superioridade, autossuficiência e vaidade. O inventário inclui itens como: **"Se eu comandasse o mundo ele seria um lugar melhor"** e **"Eu acho que sou uma pessoa especial."** Embora não existam respostas "certas" ou "erradas", o número total de argumentos considerados narcisistas mostra o nível geral de percepção de um indivíduo em relação ao lugar que ele ocupa na sociedade.

Alguns itens dessa avaliação pessoal representam reflexo direto da experiência de vida do indivíduo, como: "Eu sei que sou bom porque todos me dizem isso." A resposta a esse item mostra até que ponto a imagem pessoal pode ser influenciada pela maneira que o indivíduo é tratado. A tendência à elevação geral das pontuações entre os universitários desde 1980 provavelmente reflete uma alteração na maneira que a sociedade tratou suas crianças. Em essência, os milenianos foram criados para acreditar que são indivíduos únicos e que podem conseguir qualquer coisa. Essa disposição não é boa ou má, ela é apenas diferente das outras gerações.

O retorno proporcionado

É importante notar que a delegação de responsabilidade e poder aos Milenianos provocou muitos resultados extremamente positivos. Em geral, essa geração valoriza muito o voluntariado e a prestação de serviços, uma característica associada

h - Narcissistic Personality Inventory. (N.T.)

aos tradicionalistas. A atitude "eu posso" dos milenianos é a base para a formatação de uma nova visão cultural de ajuda ao próximo. Esses indivíduos estão gerando impacto positivo sobre as tendências de **responsabilidade social corporativa** (RSC) simplesmente por considerarem tal esforço por parte do empregador ao determinarem o valor real em trabalhar para uma determinada organização. De fato, a RSC é o terceiro propulsor de engajamento mais impactante aos milenianos, e as empresas estão ajustando sua própria abordagem de engajamento para satisfazer, e até exceder, as expectativas dessa geração.

Os milenianos também estão demonstrando mais interesse em melhorar o ambiente que qualquer geração anterior, uma iniciativa que terá resultados exponenciais nos anos vindouros. Ademais, a última grande demonstração referente a esses valores nos EUA foi a iniciativa tomada pelos milenianos de servir seu país durante a **"guerra ao terror"**, período durante o qual eles fizeram múltiplas viagens.

Os milenianos certamente são diferentes das gerações anteriores, e as organizações podem se beneficiar de inúmeras maneiras das características e habilidades que esses indivíduos têm a oferecer. Para apoiar o engajamento e construir uma CM para todas as gerações é imperativo abraçar as diferenças entre elas.

Rentabilidade

A **diversidade** de funcionários gera enorme **impacto** sobre a **rentabilidade**, de várias maneiras. Antes de qualquer coisa, tais diferenças apresentam uma correlação positiva com o engajamento de funcionários na construção de uma CM. Os níveis de engajamento se elevam conforme os empregados se tornam mais satisfeitos com a diversidade dentro da organização. Já provamos de que maneira a elevação do engajamento impacta seus resultados, portanto, o mesmo se aplica ao aprimoramento da diversidade.

Uma equipe diversificada alcança mais sucesso em servir clientes distintos, tanto local quanto internacionalmente. Quando os empregados podem se relacionar com o mercado-alvo da empresa, eles entendem melhor as necessidades dos consumidores, o que se traduz em melhor serviço ao cliente. A melhor "relações públicas" que se pode ter é a experiência positiva de um cliente, portanto, cuidar de uma base composta por consumidores diferentes e construir relacionamento com essas pessoas deve ser uma prioridade.

A diversidade promove a inovação! Quando alguém compartilha suas experiências singulares os demais aprendem com ela e desenvolvem novas ideias para produtos e serviços que abranjam pessoas diferentes. As experiências pessoais dos funcionários podem ser ótimas no sentido de fornecer *insight* (lampejo) para a criação de novas ofertas de produtos ou serviços que gerem mais participação no mercado. Aproveitar a oportunidade de capitalizar sobre os benefícios da diversidade levará você e sua empresa a um mundo dos negócios novo e melhor.

Reconheça e celebre

Nossas **diferenças** não devem ser ignoradas; elas devem ser **reconhecidas** e **celebradas**. O resultado é que as organizações e os gestores que não estão valorizando, apreciando e gerenciando a diversidade nunca irão alcançar o mesmo nível de magnitude nos negócios das empresas e dos profissionais que já adotam essas práticas. A diversidade afeta a todos. Para a sua empresa ela pode representar uma vantagem comercial competitiva ou uma enorme pedra sobre o sucesso.

CAPÍTULO 7

TENDÊNCIAS DE ENGAJAMENTO

"A melhor maneira de prever o futuro é criando-o."

- PETER DRUCKER

Seguir novas tendências de engajamento irá beneficiar não apenas a relação existente entre o empregador e o empregado, mas também a organização como um todo. Seja introduzindo um ambiente mais casual ou lidando com quaisquer situações no trabalho por meio de uma comunicação aberta, o local de trabalho – assim como o modo pelo qual os funcionários reagem à atmosfera dentro dele – está em constante evolução. Abraçar essas tendências significa engajar seus funcionários.

Um emprego **não** deveria se limitar apenas ao trabalho e a nenhuma diversão. Na verdade, este importante aspecto tem sido excluído da equação por muito tempo, porém, alguns empregadores mais sagazes perceberam recentemente o impacto que um **pouco de diversão** pode gerar sobre o **engajamento** dos funcionários, e eles não estão voltando atrás.

Diversão vinculada ao engajamento

Recentemente, muitas empresas começaram a oferecer benefícios mais arrojados com o intuito de criar uma CM que atraia os melhores talentos para a organização e consiga retê-los. Os funcionários engajados são três vezes e meia mais propensos a permanecer no emprego, o que reduz os custos com a rotatividade.[1] Criar um ambiente em que os empregados se divertem enquanto executam um ótimo trabalho constitui uma boa estratégia de negócio.[2]

Estudo de caso: Radio Flyera – o sucesso deve ser divertido

É inovadora, brilhante, repleta de perspicácia e pode levá-lo a lugares que você jamais sonhou ser possível. Embora possa parecer estranho, todos esses adjetivos estão sendo usados aqui para descrever uma carreira na Radio Flyer[a]. Muitas pessoas em todo o mundo sabem que a Radio Flyer tem feito crianças felizes por várias gerações; o que provavelmente elas não sabem é que o mesmo se aplica aos seus funcionários. Com mais de dez prêmios conquistados nos últimos anos como **uma das melhores empresas para se trabalhar** – incluindo o de "melhor empresa na categoria," da HR Solutions[b] –, essa organização está atraindo a atenção simplesmente por entender que os adultos também querem se divertir.

Em seu primeiro dia na Radio Flyer, todos os novos contratados recebem um presente que vai muito além de um típico cumprimento de boas-vindas – trata-se de um carrinho de mão Radio Flyer;[c] na verdade, as pessoas ganham esse brinquedo simplesmente para poder levá-lo para casa e "brincar." A ideia é que todos tenham a oportunidade de reencontrar a adorável e divertida criança que existe dentro de si. A liderança sênior entende que um sentimento valorizado e reconhecido é um propulsor-chave de engajamento, portanto, fazer com que os funcionários (ou melhor, os *flyers*) se sintam imediatamente bem-vindos é essencial. Receber um

---

a - Fabricante de brinquedos nos EUA. (N.T.)

b - HR Solutions' Best-in-Class Award. (N.T.)

c - Brinquedo símbolo da empresa e parte do seu logotipo. (N.T.)

carrinho real de boas-vindas também faz com que os *flyers*(e seus familiares!) se identifiquem com a marca, o que faz florescer um forte apoio à empresa desde o primeiro dia por parte do empregado e também de sua família.

A diversão dos *flyers* não é interrompida após o primeiro dia no trabalho. Criar uma cultura divertida e gratificante para os membros da equipe em todos os níveis de hierarquia é uma prioridade. Os *flyers* percebem que seu trabalho árduo é reconhecido por meio de uma série de eventos e premiações. As festas e celebrações da Radio Flyer são realizadas regularmente para incentivar a camaradagem. As celebrações ocorrem praticamente uma vez por mês e incluem desde a festa de final de ano, em que cada *flyer* recebe um pernil assado ao mel ou uma cesta de frutas, de acordo com sua escolha pessoal, até a "Maya del Sol", uma festa surpresa em que todos descobrem que poderão deixar o trabalho mais cedo para desfrutar de comida, bebidas e uma banda de *mariachi*.[d] A festa de *Halloween* é uma das celebrações preferidas dos funcionários, além de uma das maiores do ano. Os *flyers* ficam ansiosos para participar dos concursos altamente competitivos patrocinados pela empresa, que incluem escultura na abóbora e desfile de fantasias. Robert Pasin, diretor executivo da Radio Flyer, acredita que proporcionar atividades que sirvam como uma saída criativa traz benefícios para o bem-estar dos empregados e ajuda a moldar uma cultura divertida para a empresa.

A diversão está até mesmo nos cartões de visita da empresa. O modelo apresenta o típico carrinho da empresa sendo dirigido por um bonequinho cuja cabeça mostra a foto do funcionário dono do cartão. Veja a Figura 7.1.

---

d - Termo usado em referência a grupos artísticos ou músicos individuais, e também ao próprio estilo de música tocado por eles. Sua origem é incerta, mas é normalmente atribuída ao México. (N.T.)

Figura 7.1. - Cartão de visita da Radio Flyer

Além dos eventos da empresa, a Radio Flyer possui vários programas de premiações para reconhecer de maneira formal o trabalho árduo realizado pelos seus funcionários. No "café da manhã dos campeões do atendimento ao cliente", a liderança sênior serve café da manhã para os membros da equipe e presta homenagem aos funcionários dos diversos departamentos que mais se destacaram no período.

Além disso, um serviço de massagens relaxantes é oferecido no local de trabalho durante a "semana de atendimento ao cliente" para agradecer à equipe por seus esforços em fornecer um **"serviço rápido, amigável e eficaz"**. Os *flyers* também são reconhecidos nas reuniões mensais da empresa, durante as quais apresentam informações sobre suas principais conquistas. Essas oportunidades de serem reconhecidos diante de seus colegas são muito valorizadas pelos membros da equipe. Robert Pasin acredita também na importância da demonstração individual de reconhecimento por parte do pessoal de nível executivo. Como uma melhor prática, ele escreve uma nota de agradecimento personalizada a todo *flyer* que completa cada ano de trabalho na empresa.

A Radio Flyer já fomenta há muito tempo uma cultura direcionada a promover o *feedback* dos integrantes da equipe; os gestores sempre acreditaram que receberiam respostas mais sinceras se os *flyers* tivessem a chance de responder de forma anônima. A liderança sênior também desejava medir o engajamento dos *flyers*, não apenas para ter uma noção exata do quão bem-sucedidos foram seus esforços, mas também para identificar áreas que precisavam de melhorias na política e na cultura empresarial.

Em 2009, a Radio Flyer trabalhou em parceria com a HR Solutions para a realização de uma pesquisa de engajamento de funcionários e o planejamento das ações subsequentes. Os resultados da pesquisa mostraram que a Radio Flyer estava muito acima dos padrões internacionais de engajamento de funcionários em toda sua extensão, tanto em sua sede nos EUA quanto na China. O excepcional *feedback* de equipe mostrou que 80% a 90% dos *flyers* responderam favoravelmente a cada item incluído na pesquisa. Para alguns quesitos, esses resultados foram mais de 40 pontos percentuais acima do padrão normativo.

As respostas mais favoráveis do escritório norte-americano incluíram:

"Esta organização faz o possível para que seus funcionários contribuam diretamente para o seu sucesso."

- Radio Flyer: 98% concordam
- Padrão normativo: 69% concordam

"Estou satisfeito com os diversos eventos que esta organização patrocina para mostrar o seu apreço pelos funcionários (como festas comemorativas, prêmios por serviços realizados, empregado do mês etc.)"

- RadioFlyer: 98% concordam
- Padrão normativo: 67% concordam

"Meu supervisor informa aos funcionários quando estes realizam um bom trabalho."

- Radio Flyer: 94% concordam
- Padrão normativo: 70% concordam

"A liderança sênior da organização está preocupada com os funcionários."

- Radio Flyer: 94% concordam
- Padrão normativo: 54% concordam

Estes resultados renderam à Radio Flyer as melhores pontuações do mercado, mostrando que a organização era competitiva mesmo quando colocada entre as 10% melhores dentre todas as organizações pesquisadas. Mesmo os itens de pesquisa da Radio Flyer com a pontuação mais baixa ainda estavam 7 pontos percentuais acima da média, o que, em vários aspectos, é digno de comemoração.

Mesmo com esses números de pesquisa bem acima da média, a Radio Flyer ainda fez um esforço para melhorar. Como consequência direta de uma boa gestão e direção, o resultado da pesquisa mais recente de engajamento de funcionários da Radio Flyer demonstrou que 92% dos *flyers* sentiam-se ansiosos para ir trabalhar todos os dias. (E não apenas por causa das regulares corridas de triciclo da empresa!) As melhores práticas da Radio Flyer em criar um ambiente que atrai e retém talentos serve de exemplo para organizações em todos os setores.[3]

Mesmo que sua organização não seja especializada em brinquedos, ainda existem muitas oportunidades para incorporar elementos de diversão que irão moldar a cultura e agir como um ímã para grandes talentos. Uma ótima maneira de atrair pessoas para a organização é utilizando a própria marca. Ao criar experiências positivas para os clientes, as organizações gerenciam e moldam sua marca. Quando uma organização se faz conhecida por sua atitude divertida e alegre, funcionários engajados se sentem mais atraídos pela ideia de se tornar parte de um ambiente como esse.

Estudo de caso – Groupon

Ao surgir no cenário comercial no ano de 2008, atendendo aos mercados locais e oferecendo ótimas negociações *on-line* em compras coletivas, a Groupon® transformou o modo como as pessoas adquirem produtos e serviços. Como a "Groupon mania" ocorre em âmbito internacional e uma base de clientes cada vez maior conhece a empresa por sua imagem despreocupada e divertida, a organização tem elevadas expectativas no que diz respeito a contratação.

Todavia, como costuma dizer Dan Jessup, chefe do setor de gestão estratégica de pessoal na Groupon: **"Não se pode simplesmente instalar uma mesa de sinuca na empresa e esperar que a cultura corporativa mude."** E Jessup sabe bem do que está falando. A cultura corporativa da empresa está infiltrada em todos os aspectos da organização. Isso inclui desde o estilo da fonte utilizado no *site* da empresa até a descrição das funções dos empregados e as celebrações da organização. Até mesmo o sistema que permite o cancelamento do recebimento de mensagens *on-line* nos EUA é especial, e inclui um vídeo em que aparece a frase **"Puna o Derrick, o sujeito que achou que você gostaria de receber nossas promoções diárias."** Todas as pessoas que decidirem cancelar o recebimento terão acesso ao vídeo em que o tal Derrick é punido por ter adicionado indevidamente o nome de algum indivíduo à lista de *e-mails* da empresa. **"Não se trata de tomar uma medida única que torne a empresa divertida ou legal,"** disse Dan Jessup. **"É preciso manter atitudes e adotar comportamentos consistentes. Isso cria algo permanente para a empresa."**

Dan Jessup descobriu que o humor dentro dos escritórios oferece um duplo benefício à empresa:

- Em primeiro lugar, esse método garante um grande alívio no trabalho.
- Em segundo, e ainda mais importante, ele contextualiza as ações diárias da empresa.

Por meio do humor, os funcionários da Groupon conseguem se distanciar do próprio trabalho e observar um quadro mais amplo, mantendo-se plenamente fundamentados. Na sede da empresa em Chicago, o uso do humor tem ajudado a construir uma atmosfera na qual os empregados levam seu trabalho a sério, mas não fazem o mesmo em relação a si mesmos.

O humor tem sido importante para a Groupon desde o início da companhia. Uma das razões pelas quais o humor se tornou um componente tão crucial à cultura da organização é o fato de ele ter surgido no alto escalão administrativo, ou seja, com o CEO da Groupon, Andrew Mason. Quando ele Mason fundou a companhia, o fez com a firme crença de que a empresa jamais deveria ser chata ou entediante. Isso ajudou a organização a desenvolver uma personalidade bastante rica.

Além do próprio humor, tal personalidade também inclui um forte senso de inclusão e responsabilidade por parte dos empregados. Os funcionários realmente se sentem parte da Groupon. Esse senso de inclusão é reforçado pelo uso do **"nós"** no lugar do **"você"** nos comunicados da empresa. Por exemplo, "Nós" ajudamos os funcionários a perceber que são parte de um todo e um componente importante da Groupon.

Esse senso de inclusão também existe no processo de tomada de decisão na empresa. Embora seja impossível que todos os empregados participem de cada decisão da empresa, eles se sentem incluídos e bem-informados por causa de um poderoso sistema de comunicação interna. O objetivo da empresa é ajudar cada um dos empregados a compreender a razão pela qual as decisões são tomadas e como isso é feito. Além disso, todos os funcionários são encorajados a alertar a gerência sobre quaisquer processos e políticas que de algum modo emperrem sua produtividade. Andrew Mason criou um endereço de *e-mail* denominado **"mate a burocracia"** para que todos os empregados possam enviar suas preocupações sobre procedimentos excessivamente complicados. Esse canal de comunicação direto com o alto escalão permite que a Groupon mude constantemente e se adapte ao clima dos negócios, e ainda construa sua própria cultura corporativa inclusiva.

Em última análise, a personalidade única da Groupon já ajudou a empresa a construir uma CM de maneira orgânica, em que os empregados querem trabalhar duro e se manter na companhia. Este, aliás, é o verdadeiro benefício de sua cultura corporativa. Como disse Dan Jessup, **"Você pode ter os melhores funcionários do planeta, mas se eles não se sentirem engajados naquilo que fazem, não permanecerão por muito tempo."**

As empresas não precisam ser tradicionais no mercado ou apresentar lucros astronômicos para criar uma CM. Estudos demonstram que a implantação de mudanças pequenas e baratas poderá afetar de maneira drástica o engajamento dos empregados. Tente implementar algumas das alterações mencionadas a seguir para criar um ambiente de trabalho divertido em sua organização.

1. Ofereça um **café da manhã** ou **almoço** uma vez por mês e encoraje os funcionários a interromper suas tarefas e socializar com os colegas.
2. Estabeleça um **"troféu itinerante"** para reconhecer o indivíduo ou departamento que tenha realizado um trabalho excelente em um dado período. Se sua organização possui várias instalações, o prêmio pode ser oferecido em uma locação diferente a cada mês e então devolvido para a sede pelo malote interno.
3. Programe uma **atividade voluntária** em grupo por meio da qual os empregados tenham a oportunidade de atuar em conjunto em prol de uma boa causa. Talvez os funcionários possam criar cartões ou algum tipo de artesanato e presenteá-

los a crianças e pessoas idosas de um hospital local. Tudo isso em sair dos limites da empresa.

4. Rife **ingressos para eventos esportivos** ou vales-brindes entre todos os funcionários e doe o valor arrecadado para a instituição de caridade da escolha do vencedor da rifa.
5. Reconheça os funcionários que tenham se destacado e promovido um **impacto positivo sobre a empresa** construindo uma "parede (ou calçada) da fama" e gravando nela o nome desses indivíduos.
6. Ofereça uma **"festa da bagagem"**, em que um funcionário sortudo ganhe um final de semana por conta da empresa; nesse caso, cada empregado deverá trazer de casa uma mala prontinha e, se vencer, partirá diretamente para o aeroporto.
7. Crie uma **"caixa de sugestões"** como um meio de os funcionários compartilharem ideias inovadoras com os colegas. Recompense os participantes caso essas sugestões sejam implementadas na empresa para aprimorar o engajamento ou reduzir custos.
8. Programe uma **festa anual para todos os funcionários**, seus **familiares** e até amigos. O ato de encorajar os empregados a convidar as pessoas que ama para comparecer à celebração poderá ilustrar o desejo da empresa em aprender mais sobre seus funcionários e a respeito de sua vida pessoal.
9. Crie **"Fichas de Informações do Funcionário"** com uma foto do empregado e alguns fatos interessantes/engraçados de sua vida e uma lista de realizações importantes. Os cartões poderão ser afixados na entrada da empresa para enfatizar a importância de todos os que trabalham no local.
10. Crie uma biblioteca na qual os funcionários possam ter acesso à leitura. Os empregados poderão doar livros antigos e a organização então contribuirá com o restante.

Todas essas dicas serão capazes de acrescentar diversão ao ambiente de trabalho e criar uma cultura em que todos os empregados se sintam valorizados. Investir tempo em ir além do óbvio e criar um **ótimo ambiente de trabalho** certamente valerá à pena para a gestão de talentos.

Será que os empregados precisam se vestir de uma maneira profissional para agirem de modo profissional?

Políticas que envolvem código de vestimenta ficam em uma verdadeira corda bamba entre oferecer aos clientes e consumidores uma imagem profissional e permitir que os próprios funcionários da empresa se sintam confortáveis e produtivos. Nos últimos anos, um número cada vez maior de organizações tem caminhado por essa linha usando um belo par de tênis!

Na época de nossos pais e avós, o fato de trabalhar em um escritório geralmente implicava vestir-se bem todos os dias. Não importava o setor nem o fato de os funcionários jamais entrarem em contato com os clientes da empresa. Até mesmo os uniformes eram mais sofisticados que os atualmente utilizados. As pessoas se vestiam melhor simplesmente porque isso fazia parte das normas sociais do passado. De fato, havia vários eventos fora do ambiente de trabalho que eram considerados ótimas oportunidades para as pessoas se vestirem bem: viajar de trem ou de avião, ir às compras e até mesmo apanhar as crianças na escola. Com o passar dos anos, as pessoas parecem ter chegado à conclusão de que todo o esforço investido em vestir-se elegantemente poderia ser mais bem aplicado de outras maneiras.

Considerando o fato de que usar **roupas casuais** se tornou tendência da cultura moderna, muitas organizações estão se adequando a essa nova visão. Até mesmo empresas multibilionárias, como Microsoft, Facebook e Netflix, enfatizam a importância do conforto sobre o estilo dentro do ambiente de trabalho. Enquanto o *site* da Microsoft aconselha candidatos a vagas na empresa a usar roupas mais formais nas entrevistas, conhecedores da empresa avisam que o uso de *jeans* e camiseta pelos funcionários é a regra no ambiente.

O fato de os empregados se sentirem livres para escolher o que irão vestir poderá fazer com que se sintam mais atraídos em trabalhar para uma determinada organização. As pessoas não apenas consideram mais conveniente e confortável vestir o que lhes parece mais adequado, mas sentem que a inexistência de um código de vestimenta envia uma mensagem clara a elas: de que eles serão respeitados e considerados indivíduos confiáveis e capazes de tomar boas decisões. Tal mensagem ajuda a construir a base de uma CM.

Determinando o código de vestimenta mais adequado

Embora códigos de vestimenta casuais possam funcionar bem em organizações voltadas para setores mais modernos, será que um código menos rígido se mostraria menos profissional em áreas tradicionalmente mais conservadoras? **Isso depende!** Todavia, essa é uma trilha que deveria ser caminhada com mocassins, não com chinelos. O modo como os funcionários apresentam a si mesmos pode significar uma grande diferença na maneira como clientes e consumidores veem uma organização. Se os empregados de uma empresa costumam se encontrar com clientes que naturalmente se vestem de modo profissional, é bem provável que a empresa seja mais bem-sucedida se os seus representantes também usarem roupas mais profissionais. O mesmo se aplica a organizações que fornecem serviços ao público. É provável que os clientes demonstrem mais confiança na qualidade do serviço oferecido se os funcionários apresentarem uma imagem mais profissional. O desafio está em criar uma política de vestimenta que permita que os trabalhadores se sintam confortáveis e pareçam profissionais ao mesmo tempo.

Se os empregados não trabalham diretamente com os clientes, os motivos para uma empresa manter um código de vestimenta, em geral, são diferentes. A principal razão pela qual uma organização estabelece um código de vestimenta tradicional ou casual é promover uma imagem interna do ambiente profissional desejado. Quando os empregados se vestem de modo profissional eles também agem de maneira profissional, correto? **Ah, se fosse assim tão fácil.**

Embora o fato de alguém se vestir de modo mais formal possa sugerir que o empregado adote uma postura mais séria no ambiente de trabalho, isso de modo algum deveria ser visto como um **regulador comportamental**. Um indivíduo vestindo terno e gravata não necessariamente agirá de maneira mais profissional que alguém vestindo *jeans* e camiseta. (A expressão "crime do colarinho branco" comprova isso.) Se uma empresa está preocupada em manter um ambiente de trabalho profissional, isso poderia ser facilmente resolvido adotando-se etiquetas e padrões comportamentais internos, não simplesmente tentando amarrar o profissionalismo a um código de vestimenta.

Ao criar uma política de vestimenta, a liderança sênior da empresa deveria se concentrar nos resultados finais que ela está tentando atingir e, então, adequar essa política para que ela funcione de acordo com os objetivos estabelecidos. Incluir outras políticas apenas para assegurar um código de vestimenta "mais completo" é uma atitude vista com maus olhos pelos empregados. Tal atitude envia a seguinte mensagem: a empresa deseja controlar seus subordinados. Além disso, em vez de simplesmente comunicar os funcionários sobre a existência de uma política de vestimenta, é importante que a liderança sênior apresente as razões pelas quais a política foi estabelecida. Quando os funcionários compreendem o que está por trás de uma determinada política empresarial, eles, em geral, se submetem a ela com mais facilidade.

Peça *feedback* aos funcionários

Uma ótima maneira de a liderança sênior manter um ótimo relacionamento com os empregados é pedir que eles forneçam *feedback* sobre a política de vestimenta estabelecida pela empresa.

Se a sua organização conta com um grande número de representantes da geração mileniana, é bem provável que você descubra que um código mais casual seria bastante apreciado. Se os funcionários se sentirem encorajados a propor certas mudanças, isso pode se mostrar um meio fácil de elevar o nível de engajamento profissional.

Resultados de nossa mais recente pesquisa de Engajamento de Funcionários revelam que o desejo de abandonar o uso do traje de trabalho corriqueiro, menos social, em prol de roupas mais informais era unânime entre os empregados. Eles queriam poder optar por *jeans* e tênis. Nossa liderança discutiu a possibilidade de alterar o código de vestimenta e decidiu que, uma vez que aquilo era importante para nossa equipe de trabalho, estaríamos autorizados a fazer a mudança. A única exceção ficaria para os dias em que o escritório fosse visitado por clientes, quando todos deveriam retornar ao estilo social para ostentar uma aparência mais profissional.

Quando a nova política foi anunciada em nossa reunião geral, as pessoas literalmente festejaram a novidade. Aquela foi, sem sombra de dúvida, a mais positiva resposta que eu já recebi por conta de um anúncio ou de uma mudança em nossa política. É irônico que algo tão simples (e sem qualquer custo para a empresa) possa exercer um efeito tão profundo sobre os funcionários que outras iniciativas que demandam investimentos bem mais elevados em termos de tempo e dinheiro. Isso apenas demonstra o tipo de impacto que esse tópico específico pode exercer na construção de uma CM.

Portanto, ao estabelecer uma política de vestimenta, é importante ter em mente não apenas os clientes, mas também seus funcionários. Embora atender ao primeiro grupo seja importante, manter os empregados engajados e produtivos também deve estar entre suas prioridades máximas.[5]

Reconhecendo a existência do estresse e lidando com ele

O estresse é uma realidade para funcionários de todos os setores. Embora seu nível obviamente varie de pessoa para pessoa, trata-se de um aspecto do trabalho que todos os empregados experimentam em alguma medida. Em vez de negar sua existência, uma tendência mais recente no ambiente de trabalho é lidar com a questão por meio do estabelecimento de uma comunicação aberta entre empregador e empregados.

Às vezes, o simples ato de pensar sobre o dia de trabalho que se inicia pode ser o suficiente para causar uma sensação de desconforto ou até absoluto desespero em funcionários já sobrecarregados. A preocupação com uma lista de tarefas sem fim pode causar ansiedade crônica, até mesmo nos profissionais de melhor desempenho. Na verdade, **66%** dos empregados acreditam sofrer atualmente de estresse no ambiente de trabalho.[6] Acredito que seja importante ressaltar o fato de que as pessoas que experimentam os mais elevados níveis de estresse na empresa são geralmente as que mais se importam com a organização e também em realizar um ótimo trabalho. Para combater o estresse e não permitir que ótimos profissionais percam a batalha para o esgotamento, os administradores devem lidar com o problema desde o início estabelecendo uma comunicação aberta com os funcionários.

Todos os empregados devem ser informados de que enfrentar estresse no trabalho não significa que eles não estejam aptos a realizar o serviço para o qual foram designados. Por medo de serem vistos de maneira negativa pela gerência, muitos funcionários têm medo de confessar que se sentem sobrecarregados com o montante de tarefas sob sua responsabilidade. Ninguém gosta de ser visto como preguiçoso ou até como alguém que não para de reclamar. É fundamental que o gestor mantenha uma comunicação aberta sobre o fato de que o estresse não é simplesmente uma realidade no mundo profissional, mas na vida em geral. Como equipe, sempre que possível todos devem tentar se ajudar mutuamente, e cada funcionário deve ser encorajado a pedir ajuda quando necessário.

Depois de enfrentar estresse no trabalho por um período prolongado, até mesmo os melhores funcionários podem rapidamente ir de um extremo a outro, deixando de se mostrar altamente engajados, tornando-se ambivalentes e, finalmente, completamente desengajados no trabalho. Essa queda no nível de engajamento pode levar a uma queda na produtividade e nos lucros, a um aumento no absenteísmo e, finalmente, à elevação no índice de rotatividade.

O estresse também pode exercer um impacto negativo sobre a saúde física e mental do profissional. Em termos físicos o estresse é capaz de provocar aumento na pressão sanguínea, suprimir o sistema imunológico e elevar o risco de derrames e problemas cardíacos. Ele também pode ser o responsável por afetar o peso das pessoas: estas geralmente não se alimentam de maneira adequada nem conseguem se devotar a exercícios físicos, seja por causa do próprio estresse ou por considerarem que não há tempo suficiente para essas atividades. Já na área psicológica, o estresse pode causar ansiedade e depressão.

O que as empresas podem fazer para administrar o estresse?

Em primeiro lugar, a administração da empresa deve ter a iniciativa de garantir que seus funcionários não se sintam estressados por conta de uma carga de trabalho excessiva. Há várias boas práticas que podem ajudar a liderança da empresa a reduzir os níveis de estresse no ambiente de trabalho:

- Promover "verificações do nível de estresse".
- Equilibrar a carga de trabalho.
- Entregar o comando/a responsabilidade pela tarefa aos funcionários.
- Criar programas de bem-estar no trabalho.
- Encorajar o riso/bom humor no ambiente de trabalho.

Promovendo "verificações do nível de estresse"
Encontre-se regularmente com seus empregados para ter certeza de que a carga de trabalho de cada um é adequada. Tais reuniões farão com que os funcionários se sintam confortáveis em conversar sobre o nível pessoal de estresse e buscar ajuda quando não estiverem bem. Quando possível, tente redistribuir as responsabilidades entre a equipe.

Equilibrando a carga de trabalho

Por saber que os melhores funcionários sempre farão um ótimo trabalho, há uma tendência entre os gerentes de contar demais com essas pessoas. Porém, o que esses administradores geralmente não percebem é que esses melhores empregados já têm trabalhado demais e por longas horas, pelo menos até que seja tarde demais. Portanto, para evitar o esgotamento desses indivíduos, certifique-se de que a carga de trabalho seja dividida de maneira uniforme entre toda a equipe.

Delegando o comando/a responsabilidade pela tarefa aos funcionários

O fato de os empregados deterem o controle sobre a própria carga de trabalho pode ajudar a reduzir os níveis de estresse. Para elevar o grau de controle por parte dos empregados ofereça a eles, sempre que possível, autonomia para que estabeleçam seus próprios prazos e gerenciem seus próprios projetos.

Criando programas de bem-estar no trabalho

A cada ano as empresas gastam certa de 1,5% a 3% da folha de pagamento em **faltas não planejadas** – por conta de doenças e licenças médicas estendidas. Porém, de acordo com um estudo publicado no *American Journal of Health Promotion*, nas ocasiões em que os empregadores ofereciam a seus funcionários um programa de bem-estar, os custos na área de saúde aumentaram de maneira mais lenta – em uma taxa de 15% – que no caso de empresas que não ofereciam o mesmo benefício.[7]

Por exemplo, **a prática de exercícios** é capaz de reduzir os níveis de estresse ao promover o relaxamento dos músculos e desencadear a liberação de endorfinas. Infelizmente, as pessoas acometidas pelo estresse tendem a evitar a ida a academias de ginástica e acabam não aproveitando os benefícios oferecidos pelos exercícios físicos. Oferecer incentivos aos participantes, como um acordo de desconto na academia de escolha do funcionário, poderá encorajá-los a participar desse tipo de atividade.

As empresas também podem oferecer outros serviços relacionados à saúde do funcionário, como: orientação nutricional e/ou programas para ajudar o indivíduo a perder/administrar o peso corporal ou até mesmo a parar de fumar. Muitas companhias já oferecem sessões de massagem de 15 min de duração dentro da própria empresa. Essa iniciativa é particularmente bastante popular entre os empregados.

Encorajando o riso/bom humor no ambiente de trabalho

Francamente, passamos tempo demais no trabalho para não rir com mais frequência. Crianças de cinco anos de idade riem uma média de **113 vezes por dia**. Conforme nos tornamos mais velhos, esse número cai de maneira contínua até alcançar níveis mínimos – dos 44 anos até a aposentadoria, as pessoas riem apenas **11 vezes por dia**.[8] Estudos demonstram que o riso relaxa os músculos, diminui a pressão sanguínea e acelera o fluxo de oxigênio no corpo, o que provoca a redução dos níveis de estresse. Além disso, os atos de sorrir e de rir liberam endorfinas no cérebro. Encorajar o riso no ambiente de trabalho é uma ótima maneira de causar um impacto positivo tanto na cultura da empresa quanto no bem-estar dos funcionários.

A responsabilidade pela administração do estresse

Essa responsabilidade não deve recair somente sobre os ombros da equipe administrativa. Os próprios empregados devem tomar a iniciativa de procurar seus gerentes quando acreditam que têm sobre si uma carga de trabalho excessiva. Além disso, os funcionários também podem assumir o controle de suas funções quando aprendem a gerenciar o próprio tempo. Atitudes como manter-se **organizado**, criar e seguir uma **lista diária de afazeres** e estabelecer **prazos adequados** também pode ajudar a reduzir os níveis de estresse. Quando os empregados aprendem a controlar o próprio estresse, o simples fato de pensar no trabalho não provoca preocupações e/ou ansiedade. Em vez disso, os trabalhadores voltam a sentir o mesmo entusiasmo que sentiram no primeiro dia de trabalho.[9]

Equilíbrio entre a vida pessoal e profissional

A maioria das pessoas passa mais tempo no trabalho que ao lado de seus familiares e/ou amigos. Infelizmente, **90%** das mães e **95%** dos pais norte-americanos relatam **conflitos** entre a vida **pessoal** e **profissional**.[10] Embora os funcionários mais engajados se mostrem mais motivados e dedicados à organização, é importante que os empregadores compreendam que seus empregados precisam de tempo fora do trabalho justamente para se **manter** engajados.

Há inúmeras maneiras de se garantir um equilíbrio positivo entre a vida pessoal e profissional; a chave está em oferecer **opções**. Os funcionários têm necessidades distintas, portanto, oferecer-lhes escolhas é o melhor jeito de apoiar uma equipe diversificada. Flexibilidade de horário é um dos principais benefícios para muitos trabalhadores. Essa opção é, com frequência, uma ótima razão para os empregados apreciarem o trabalho. Isso promove o compromisso para com a empresa e constrói uma base sólida de engajamento. Um horário de trabalho flexível também pode ajudar a atrair grandes talentos do setor; **72%** das pessoas entrevistadas disseram que o oferecimento de um horário flexível certamente os faria optar por um emprego em relação a outro em que não existisse a mesma possibilidade.[11]

Para construir uma CM, é crucial que os empregadores invistam tempo em criar condições para que o funcionário mantenha um equilíbrio saudável entre a vida pessoal e profissional. E é nessa arena que as empresas podem se mostrar mais criativas ao desenvolver ofertas únicas que realmente as diferencie da concorrência. Veja a seguir algumas ideias bastante interessantes:

1. Em vez de classificar a semana de trabalho com um período de cinco dias, permita que os empregados trabalhem em turnos de 10 h. Isso dará a eles três dias livres por semana, em vez de apenas os típicos dois dias do final de semana.
2. Sempre que possível, adote uma política de trabalho em casa. Mesmo que este benefício seja oferecido somente para alguns dias do ano, isso poderá fazer uma grande diferença.
3. Disponibilize na empresa uma creche para seus funcionários ou ofereça um programa de desconto para o pagamento desse tipo de serviço.
4. Faça um acordo especial com uma lavanderia local ou disponibilize esse serviço na própria empresa.
5. Disponibilize o serviço de preparação do IR (imposto de renda) para os funcionários.
6. Ofereça o serviço de embrulho de presentes em épocas de festas.
7. Considere a possibilidade de oferecer aos melhores funcionários um pacote de férias com a família, seja como um bônus extra ou até mesmo no lugar de uma compensação financeira.
8. Ofereça um serviço de *office boy* (contínuo) específico para ajudar os funcionários a resolver questões pessoais (pagamentos, entregas, coletas etc).

9. Crie um sistema de horário flexível para que os funcionários possam optar por aquele que melhor se enquadre em sua vida pessoal (7 h às 17h; 8 h às 18 h; 9 h às 19 h etc.). Se um número excessivo de funcionários optar pelo mesmo horário, ofereça um sistema de rodízio para satisfazer a todos.
10. Estabeleça períodos do ano em que todos os empregados possam sair mais cedo às sextas-feiras.
11. Comemore os aniversários da empresa oferecendo a todos os funcionários um dia de descanso remunerado, encorajando-os a celebrar sua ligação com a empresa. Esse dia fora da organização também mostrará aos empregados o quanto a empresa se importa com eles.
12. Para ajudar a separar a vida profissional da pessoal, encoraje seus funcionários a não verificar mensagens de *e-mail* ou de correio de voz, que sejam de cunho profissional, depois do horário de trabalho ou nos finais de semana.
13. Quando os funcionários chegarem mais cedo ou saírem depois do horário normal, permita que eles se demorem mais no almoço para compensar o tempo extra investido na empresa. Isso permitirá que eles marquem seus compromissos durante o intervalo.
14. Faça reuniões virtuais utilizando a Internet, assim seus funcionários não terão de se deslocar para participar delas.
15. Encoraje os funcionários a interromper suas tarefas a cada 2 h, pelo menos para se reidratar e ir ao toalete. Talvez essa sugestão pareça desnecessária, mas muita gente ocupada simplesmente se esquece de reservar um tempo para seu próprio bem-estar.

Embora talvez você não tenha condições de aplicar todas essas sugestões, implantar pelo menos algumas delas ajudará seus funcionários a perceber a preocupação da empresa em manter o equilíbrio entre a vida pessoal e profissional dos empregados. Discuta essas recomendações com a equipe de liderança assim que possível e tente desenvolver um plano adequado e então colocá-lo rapidamente em prática.

O engajamento multinacional

Em geral, os desafios em relação ao engajamento dos funcionários aumentam enormemente conforme se multiplica o número de empregados e de filiais da empresa pelo mundo. As melhores práticas para engajar equipe de diferentes nacionalidades são similares às utilizadas para integrar empregados em qualquer organização. Porém, implementá-las simultaneamente em diferentes continentes certamente demandará mais que pequenas iniciativas: o processo envolverá objetivos bem mais amplos e ambiciosos abrangendo milhares de indivíduos. Um esforço organizado e constante que reconheça e abrace as diferenças culturais é a chave para promover e manter o engajamento multinacional.

Estudo de caso – Engajamento: definindo necessidades básicas

Para uma empresa líder no setor de saúde com 90 mil funcionários em todo o mundo, as estratégias de engajamento são complexas e diversificadas. Em cada parte do planeta, as características culturais que irão atrair e reter empregados serão inerentemente distintas. A natureza global da empresa em questão impõe a si mesma um desafio constante no que diz respeito à compreensão das nuances da cultura local e ao oferecimento de uma mão de obra experiente que esteja de acordo com as necessidades do país.

Um dos diretores de RH dessa empresa cita a importância de substituir benefícios que seriam considerados interessantes por outros que são absolutamente essenciais em diferentes locais do mundo, como, por exemplo, água potável. Muitos dos funcionários que trabalham na filial da Indonésia somente têm acesso a água limpa dentro do local de trabalho, o que não ocorre quando estão em casa. Este é um fator que afeta bastante o bem-estar dos empregados.

Tais particularidades precisam ser informadas à liderança sênior para que ela possa tomar medidas que realmente impactem de modo positivo a vida dos empregados locais.

Investir em estratégias de desenvolvimento de talentos nessa região certamente não deverá ser uma prioridade se os funcionários (e seus familiares) não tiverem sequer acesso a necessidades básicas. Nesse caso, desenvolver um sistema pelo qual os empregados da empresa consigam água limpa em suas casas tem sido o ponto central das discussões para promover o engajamento no trabalho. Aprimorar o bem-estar dos empregados fora da companhia demonstra a esses funcionários o compromisso da organização com a questão **humana** dentro da empresa.

Para as equipes que operam no Brasil, o engajamento começa pela **segurança** no trabalho. Os funcionários brasileiros enfrentam perigos consideráveis fora do local trabalho. Isso inclui seu deslocamento seguro para a empresa e no retorno para casa. Muitos moram a longas distâncias da empresa, e assaltos, sequestros-relâmpago e outros tipos de violência são muito comuns. O simples ato de deixar o escritório no final do expediente levando consigo o próprio *laptop* pode colocar os empregados em risco. Diante de tal realidade, a segurança dos empregados é uma prioridade ao se pensar em construir uma CM na região.

A preocupação dos executivos de RH com a segurança pessoal ao longo do dia vem em primeiro lugar. Em referência à hierarquia de necessidades de Maslow, (Figura 3.1), a segurança aparece na segunda camada (de baixo para cima), exatamente acima das necessidades fisiológicas e abaixo do amor e pertencimento, da estima e da autorrealização. No Brasil, os gestores reconhecem que a segurança do funcionário é parte fundamental na Proposição de Valor do Empregado (EVP), portanto, consideram a segurança no ambiente de trabalho uma prioridade.

Para enfrentar os desafios regionais, os administradores de cada país têm o poder de gerir os recursos locais. Uma vez que esses profissionais trabalham mais perto de suas equipes, os executivos seniores acreditam que eles estejam em uma posição mais adequada para tomar decisões quanto às iniciativas que causarão maior impacto em cada cultura. Por intermédio de equipes de pesquisa, os gerentes no Brasil perceberam, por exemplo, a necessidade de estabelecer um local onde os funcionários pudessem fazer suas refeições internamente, sem deixar a segurança da empresa.

E já que os administradores tiveram a permissão de utilizar o orçamento liberado do modo como consideraram mais adequado, eles conseguiram apressar a construção de um refeitório interno onde os empregados têm acesso à alimentação sem ter de sair pelas ruas da cidade. Essa atitude é vista pelos funcionários como um benefício significativo, pois permite redução nos níveis de estresse dessas pessoas e, ao mesmo tempo, propicia mais oportunidades de convívio entre elas.

Portanto, as estratégias de engajamento dessa empresa em particular são tão únicas e singulares quanto a própria diversidade de seus membros. O departamento de RH corporativo localizado na sede observa as iniciativas tomadas nas filiais espalhadas em vários países e ajuda a coordenar o compartilhamento das melhores práticas. O que foi um grande sucesso em um país pode se adequar perfeitamente a outro, ou talvez não. O processo de desenvolvimento de estratégias de liderança e rastreamento dos resultados obtidos é complexo e detalhado, mas é também essencial para assegurar que todas as filiais sejam ótimos lugares para se trabalhar.

Engajamento dos funcionários e influenciadores culturais

Dentro das maiores corporações estão empregados que enfrentam desafios únicos e abrangentes, os quais, em muitas ocasiões, são enormes obstáculos ou empecilhos para o engajamento.

Entretanto, muitos empregados que residem em países que enfrentam problemas econômicos similares aos descritos anteriormente ostentam níveis mais elevados de engajamento que outros em nações mais prósperas.

Entre os países com nível mais elevado de engajamento de funcionários estão o México (54%), o Brasil (37%) e a Índia (36%).[12] De acordo com vários relatórios do Banco Mundial, do Programa de Desenvolvimento das Nações Unidas e também da Agência de Inteligência Central (CIA) dos EUA, as taxas de pobreza nesses países flutuam...

Os países com os níveis mais baixos de engajamento incluem Japão (3%), Hong Kong (5%) e Coréia do sul (8%). Na Europa os índices também foram baixos na Polônia (9%), na Itália (11%) e na França (12%).[13] Todos esses países apresentam taxas comparativamente mais reduzida de pobreza – menos de 20% da população nesses países vive nessas circunstâncias – que as nações mais engajadas.

Embora as possíveis razões por trás dessa correlação ainda não tenham sido oficialmente reveladas, acredito sinceramente que ela ocorra pelo fato de as pessoas já se sentirem felizardas por terem um emprego e, desse modo, serem capazes de sustentar a si mesma e suas famílias. Quando o número de vagas é reduzido em comparação ao de indivíduos que precisam trazer comida para casa, as pessoas empregadas tendem a se mostrar mais apreciativas em relação ao simples fato de possuírem um trabalho. (Embora os administradores no México possam ser altamente eficientes, há grandes chances de que o elevado índice de engajamento naquele país não se dê unicamente em função de tal eficiência.) Essencialmente, é mais fácil para empresas localizadas em regiões economicamente mais pobres encontrar candidatos naturalmente mais predispostos ao engajamento.

Portanto, quando empresas multinacionais avaliam seus níveis de engajamento em todo o mundo, é fundamental que considerem os *benchmarkings* (melhores práticas) regionais. Isso permitirá uma comparação mais adequada e também uma análise mais acurada do progresso e do sucesso do processo de engajamento. O ajuste das estratégias e o atendimento das necessidades locais possibilitarão às organizações globais causar um impacto bem mais profundo sobre populações regionais e, desse modo, criar uma CM.

Responsabilidade social corporativa (RSC)[e]

Como já discutido no Capítulo 6, no cenário corporativo atual existem **quatro gerações** de empregados tentando coexistir dentro de um mesmo ambiente de trabalho. Os mais "jovens", ou seja, os **milenianos** ostentam um ponto de vista vigoroso e também um forte conjunto de valores que afetam o modo como eles acreditam que uma empresa deve operar. Conforme os integrantes dessa geração (alguns a chamam de geração Y) adentram o mercado de trabalho, em vez de se preocupar em discutir somente o salário e os benefícios do cargo – como era comum entre seus colegas do passado –, eles desejam que seu futuro empregador 1º) ofereça algo de bom à comunidade da qual faz parte, 2º) reduza sua pegada de carbono e 3º) seja socialmente responsável. Por causa disso, a **responsabilidade social corporativa** (RSC) tem se tornado algo cada vez mais popular.

Na verdade, a RSC é, com frequência, um fator-chave na decisão do empregado de se unir ou permanecer dentro de uma organização. Além disso, ela representa para os milenianos um propulsor fundamental de engajamento. Conforme essa geração mais jovem se estabelece na força de trabalho, as empresas se tornam capazes de estimular o engajamento simplesmente incorporando o conceito de RSC na própria missão e nos valores corporativos. A RSC envolve o monitoramento interno das ações da empresa e também do impacto que ela exerce sobre o meio ambiente, os indivíduos e a comunidade como um todo. As empresas precisam

e - Em inglês é Corporate Social Responsability. (N.T.)

observar seus próprios efeitos ambientais e reduzi-los, assim como educar futuras gerações sobre a importância da RSC.

Duas grandes empresas mundiais de tecnologia, a Intel e a EMC[2], já demonstraram a importância que dão a RSC ao incluir tal conceito em sua missão e política interna. Para melhor avaliar as várias práticas de RSC adotadas conversamos com dois empregados dedicados e apaixonados pelas organizações em que trabalham.

Estudo de caso – Intel

Fundada em 1968, a Intel Corporation é uma empresa líder no setor de tecnologia e possui filiais espalhadas em todo o mundo. A RSC é extremamente importante para a força de trabalho global dessa companhia – formada por 82.500 funcionários – e está diretamente integrada aos objetivos da empresa. A Intel reconheceu rapidamente o impacto que seria capaz de exercer em nível global ao se concentrar amplamente em uma estratégia de RSC. De acordo com Suzanne Fallender, diretora de Estratégia de RSC e Comunicações, **"Um dos quatro objetivos de nossa estratégia global é 'cuidar das pessoas e do planeta que todos nós habitamos e inspirar as próximas gerações,'"**[14] Com mais de 14 anos de experiência na área de responsabilidade social, Suzanne Fallender tem se mostrado fundamental no desenvolvimento de melhores práticas de RSC na Intel.

Os projetos da empresa nessa área são escolhidos com base em uma combinação de fatores. Iniciativas que exercem impacto direto sobre os resultados dos negócios da companhia - como o efeito dos produtos da Intel sobre o ambiente – são absolutamente compatíveis com as estratégias de RSC. A organização trabalha constantemente para reduzir sua pegada de carbono. Isso inclui a criação de produtos eficientes em consumo de energia, a construção de espaços físicos que não agridem o meio ambiente, o encorajamento à reciclagem e à conservação da água. Segundo Suzanne Fallender, a Intel se tornou a maior compradora de energia renovável nos EUA.

Além de proteger o meio ambiente, a empresa patrocina programas beneficentes, de ajuda a pessoas necessitadas e também de educação para as novas gerações. Em geral, as ideias para tais iniciativas advêm daquilo que a organização mais conhece – seus próprios produtos. A Intel apoia feiras científicas e tecnologias em todo o planeta, colaborando para educar futuras gerações por meio da tecnologia. A empresa criou o Intel Teach Program (Programa Educacional Intel), que oferece técnicas para ajudar professores a incorporar a tecnologia em suas aulas. Ao construir uma base mais sólida de futuros trabalhadores, programas como este afetam as gerações mais jovens e, portanto, são vitais tanto para as demais organizações como para o futuro do planeta.

Para assegurar que os funcionários da Intel se dediquem à RSC, uma parte da compensação de cada empregado da empresa está associada ao cumprimento das iniciativas de RSC da companhia. Existem ainda programas que recompensam os empregados por suas contribuições pessoais – um deles é o Intel Environmental Excellence Awards (Prêmio de Excelência Ambiental da Intel), que estimula e premia o trabalho em equipe para apresentar iniciativas de cunho ambiental. Além de encorajar os funcionários a se envolver e a promover os programas, essas premiações aumentam o nível de cooperação entre os participantes, funcionando como propulsoras de engajamento.

Estudo de caso – EMC²

A EMC², outra empresa global de tecnologia, acredita que a responsabilidade social empresarial deve apresentar objetivos diversos e estar incorporada diretamente nas metas organizacionais. A EMC² possui 48.500 empregados em todo o mundo e opera em mais de 80 países. Fundada em 1979, a companhia já tem mais de 32 anos de experiência no mercado. Isso a ajudou a compreender a razão pela qual a RSC é importante e também a integrar tal iniciativa em sua própria estrutura organizacional. De acordo com Kathrin

Winkler, vice-presidente e diretora de Sustentabilidade da EMC², as iniciativas corporativas da empresa estão fundamentadas em três Ps: **pessoas, planeta** e **prosperidade.**[15]

A organização estabeleceu várias práticas que ajudam a reduzir o impacto direto da empresa sobre o meio ambiente. Isso inclui a redução da energia utilizada em seus produtos e a manutenção de condições de trabalho ambientalmente sustentáveis. A empresa criou uma **"equipe verde"**, que consiste de indivíduos cuja responsabilidade é assegurar que os produtos da EMC² tenham impacto positivo sobre o meio ambiente. A organização também patrocina vários programas internacionais para encorajar crianças, especialmente as menos privilegiadas, a escolher futuras carreiras e cursos focados em matemática e ciências – ambas matérias importantes no campo da tecnologia.

Os demais programas – talvez não diretamente ligados ao setor em que a empresa opera – são escolhidos com base na comunicação entre líderes e funcionários. **"Nossos melhores projetos representam a colaboração entre a empresa e seus empregados"**, afirma Kathrin Winkler. Essa cooperação foi demonstrada por um trabalhador da EMC² cuja função é administrar uma equipe responsável por reparar computadores usados e enviá-los para escolas do Quênia, na África. Os funcionários da empresa trabalharam juntamente com as lideranças da empresa para desenvolver tal iniciativa. A aprovação e a contribuição conjunta levou à implementação bem-sucedida do projeto.

Permitir que os empregados contribuam para iniciativas de RSC não apenas outorga a essas pessoas algum poder de decisão na empresa, mas também possibilita que elas se sintam mais conectadas aos líderes empresariais e à própria organização em que trabalham. Além disso, ao escutar as ideias e iniciativas dos empregados, essas lideranças demonstram que valorizam as sugestões oferecidas e estão dispostas a ouvir as preocupações dos funcionários.

As iniciativas de RSC também têm o poder de se associar a outros importantes valores corporativos –como a educação e o equilíbrio entre a vida pessoal e profissional dos funcionários –, como demonstrado por um dos concursos anuais realizados pela EMC². Nessa competição, os filhos dos empregados desenham ilustrações que representam como e por que o meio ambiente precisa de proteção. Esse projeto não apenas enfoca a questão ambiental, mas também promove a questão educacional. Além disso, o concurso faz com que os empregados passem um tempo valioso ao lado dos filhos, o que ajuda a criar um equilíbrio entre sua vida pessoal e profissional. **"Associar os valores de RSC a outros que sejam fundamentais para nossos funcionários nos permite criar uma conexão entre ambos"**, diz Kathrin Winkler, indicando que a RSC pode ser bastante benéfica na construção e no apoio do engajamento entre funcionários.

A EMC² reconhece quão importante é o reforço positivo para a implementação de iniciativas de RSC. **"A responsabilidade social corporativa (RSC) deve fazer parte da cultura corporativa. Quanto mais ensinamos (os funcionários), mais bem-sucedidos nos tornamos,"** esclareceu Kathrin Winkler. A empresa oferece prêmios anuais para inovações sustentáveis em reconhecimento a trabalhos realizados, por seus empregados, voltados a objetivos de RSC. O reconhecimento por meio desses prêmios não apenas ajuda a fazer com que os empregados tenham um senso de realização, mas também promove um engajamento entre a equipe e mantém todo o grupo entusiasmado em relação às iniciativas de RSC.

Pequenos passos, grandes resultados

Ao dar passos pequenos, qualquer organização é capaz de começar a construir sólidos programas de RSC como os estabelecidos pela Intel e pela EMC². Uma melhor prática que recomendo é a de encorajar os funcionários a reciclar, simplesmente colocando recipientes adequados na cozinha ou adotando um "Dia do Voluntariado" para toda a equipe de trabalho. Conforme a empresa reconhece o quão importante cada empregado é para o sucesso da implantação da política de RSC, torna-se possível implementar de modo consistente a responsabilidade social na empresa. A conexão entre a RSC, a empresa e os empregados fica evidente. Encorajar os funcionários a se sentir entusiasmados e se mostrar dedicados às iniciativas de RSC são atitudes vitais para o aprimoramento do nível de engajamento na organização, em especial entre os empregados mais jovens. A RSC pode ser integrada de maneira fácil e rápida ao ambiente de trabalho, e os resultados são, em geral, fenomenais. Por meio da RSC, os empregados se sentem mais conectados e dignos de mérito, o que cria uma força de trabalho mais engajada e potencialmente capaz de fazer grande diferença no mundo em que vivemos.

Progresso no engajamento

A **gestão de talentos** está sempre se desenvolvendo, e é importante que as empresas explorem continuamente novas maneiras de aprimorar sua cultura e elevar o grau de engajamento entre seus funcionários. O ato de incorporar a diversão no ambiente profissional pode acrescentar qualidade magnética intangível e promover a camaradagem entre os empregados. Instituir um código de vestimenta mais casual talvez faça com que os empregados se sintam mais confortáveis no trabalho e percebam que a empresa confia em sua capacidade de tomar decisões corretas. Controlar o nível de estresse e apoiar o equilíbrio entre a vida pessoal e profissional dos funcionários ajuda a reduzir o esgotamento desses indivíduos e a aumentar a saúde de toda a equipe. O foco no engajamento multinacional assegura que sua empresa seja um ótimo local para se trabalhar para pessoas oriundas dos mais variados *backgrounds* (conjunto de experiências, conhecimentos e treinamentos). Por ultimo, as iniciativas de RSC demonstram aos empregados, e também aos clientes, que sua organização está causando um impacto positivo sobre o meio ambiente e que todos podem ajudar nos esforços da organização, oferecendo seu apoio individual. O grande número de oportunidades de aprimoramento pode, às vezes, parecer assustador, mas lembre-se: o progresso é o melhor amigo de qualquer líder. **Desde que esteja caminhando para frente, estará na direção correta!**

CAPÍTULO 8

TOMANDO ATITUDES PARA QUE O ENGAJAMENTO ACONTEÇA

"Seja a mudança que você quer para o mundo."

- MAHATMA GANDHI

É hora de acabar com a corrida desenfreada. Somos seres humanos, não ratos, e todos merecemos amar o trabalho que realizamos. Se você tem pensado a esse respeito e espera melhorar a cultura de sua organização, é hora de agir. Muitos líderes têm a tendência de procrastinar essa decisão, frequentemente por medo: **"E se as pessoas acharem minhas ideias estúpidas? E se eu falhar?"** Eu digo: **"E o que importa?"** As **consequências de não agir** são muito piores do que uma **potencial rejeição**. Sua obsessão sobre o que os outros pensam a seu respeito é um comportamento autodestrutivo, portanto, se continuar existindo, provavelmente destruirá também sua organização. O **medo** é uma **reação natural** do ser humano; a **coragem** é uma **escolha**. Os líderes devem confiar em suas ideias e ter a ousadia de tomar medidas a fim de torná-las realidade.

O que irá atrair os melhores talentos para a sua empresa? A reputação de sua empresa de manter uma comunicação aberta e honesta? O treinamento intensivo e os planos de carreira que sua organização oferece? Talvez a flexibilidade no ambiente de trabalho e um código de vestimenta casual? Ou, quem sabe, um refeitório com bufê completo e a possibilidade de levar o cão consigo para o trabalho? É possível que você construa uma CM a partir de todos os fatores anteriormente mencionados e de muitos outros. O fato é que, ao focar no engajamento de funcionários você realizará mudanças significativas que irão certamente impactar sua gestão de talentos, conduzindo-o ao verdadeiro sucesso.

Desenvolvendo uma estratégia de engajamento

Mas, por onde começar? A melhor maneira de definir as áreas que apresentam as maiores oportunidades de melhoria é mediante o *feedback* dos funcionários. (Depois de ler os sete primeiros capítulos deste livro, estou certo de que tal sugestão não o surpreende!) Embora tudo o que já foi mencionado até aqui possa ser benéfico para a ampliação do engajamento de funcionários, o *feedback* o ajudará a descobrir exatamente qual é a sua posição atual para que seja capaz de priorizar iniciativas e medir seu progresso. É hora de definir os parâmetros.

Basear-se em um estudo como o da análise dos propulsores-chave é um ótimo meio para se entender exatamente os fatores mais impactantes ao engajamento de seus funcionários e à satisfação geral com o emprego. Os propulsores-chave da HR Solutions são o resultado dos cálculos efetuados em toda a nossa base de dados normativos, de modo que representam a média dos principais segmentos funcionais. Embora este seja um bom modelo a seguir, é possível que a cultura única de sua empresa apresente prioridades ligeiramente diferentes. Na verdade, variações nos propulsores-chave poderão ocorrer por diversas razões, como a demografia da força de trabalho; o setor de atuação; o tipo de preocupações de seus funcionários; e a própria cultura da organização.

Por exemplo, por meio de uma pesquisa de engajamento de funcionários e da análise dos propulsores-chave você conseguirá descobrir que o propulsor-chave 4 – **estratégia e missão** – é, na verdade, o mais importante para sua equipe. Isso poderia ocorrer em uma organização sem fins lucrativos que atrai funcionários que, acima de tudo, são apaixonados pela causa da instituição. Tal grupo provavelmente terá prioridades de engajamento um pouco diversas daquelas dos empregados de outros setores, que se sentem menos intimamente ligados à missão geral da organização.

Em outra empresa, uma análise desses propulsores-chave poderá descobrir que o de número 9 – **disponibilidade de recursos para desempenho efetivo do trabalho** – é o principal propulsor de engajamento. Talvez isso ocorra em empresas em que os funcionários dependem bastante de ferramentas ou equipamentos para receberem sua remuneração, como no caso das cooperativas de táxi, nas quais os motoristas precisam de veículos confiáveis e máquinas de cartão de crédito para ganhar dinheiro. A ligação direta entre os recursos e os ganhos potenciais tornaria esse propulsor uma prioridade em termos de engajamento.

No final das contas, cada organização é diferente e a CM em cada uma delas será naturalmente distinta. A chave para o sucesso é descobrir o que é importante para sua equipe e, a partir disso, priorizar e planejar ações para tornar o sucesso uma realidade.

É de extrema importância que os líderes se esforcem de maneira constante para construir magnetismo em sua organização, mesmo em épocas de sucesso. Muitas das empresas destacadas no livro de Jim Collins, *Good to Great* (*Empresas Feitas para Vencer*), experimentaram tempos difíceis depois de anos de extremo sucesso, como, por exemplo, a Fannie Mae que desde então tem sido financiada pelo governo dos EUA. Sempre haverá empresas por aí fazendo progressos; se isso não estiver ocorrendo no seu caso, acabará ficando para trás.

Desenvolvendo um programa de reconhecimento

O **reconhecimento** é o propulsor-chave 1. Tal como indicado no Capítulo 3, um forte programa de reconhecimento pode ser o grande diferencial em uma força de trabalho engajada. Na verdade, ele aumenta o engajamento em **35%**.[1] Os gestores devem criar um programa em que os incentivos estejam alinhados a fim de induzir nos funcionários o comportamento desejado. Para ajudar a simplificar esse processo compilamos uma lista das 10 melhores práticas para o desenvolvimento de uma cultura organizacional baseada em reconhecimento.

Melhor prática 1– Defina o que deve ser reconhecido.

Ao estabelecer um programa de reconhecimento, é importante que uma organização defina os comportamentos e/ou resultados que serão considerados dignos de reconhecimento. Uma ótima maneira de se desenvolver boas diretrizes é por meio da discussão pela liderança sênior das ações –realizadas por funcionários – que costumam contribuir para o sucesso da organização e de sua missão. Tais ações podem ser bastante variadas, como: 1º) contribuir para a lucratividade da empresa; 2º) receber um comentário positivo de um cliente; ou 3º) simplesmente tomar a iniciativa de ajudar um colega de trabalho. Esta lista deve ser compartilhada com todos os gestores e usada como diretriz no momento de oferecer reconhecimento ao funcionário.

A gerência também poderá criar um programa de "oportunidade para o ganho de pontos" estabelecendo uma lista de ações que serão dignas de reconhecimento. Desse modo, os funcionários serão capazes de acompanhar seus próprios esforços e ganhar pontos por meio de suas próprias atitudes. No final do mês, cada ponto se transformará em um bilhete de sorteio para concorrer a um prêmio.

Quando as ações ou os resultados desejados são claramente definidos, o reconhecimento do empregado pode ser facilmente racionalizado por toda a organização, o que ajuda a criar uma **cultura elétrica** de reconhecimento.

Melhor prática 2 – Seja sincero.

Com demasiada frequência, as empresas transformam os programas de reconhecimento em apenas outra tarefa que precisa de *follow-up* (acompanhamento). Os funcionários são plenamente capazes de dizer quando um gestor está apenas "cumprindo a formalidade" de prestar reconhecimento, pois ele já perdeu o interesse em demonstrar apreciação genuína em relação aos esforços dos membros da equipe. Essa falta de sinceridade e de entusiasmo pode reduzir o reconhecimento de maneira significativa, mesmo que a recompensa permaneça a mesma. O grande poder do reconhecimento reside no fato de ele fazer com que as pessoas floresçam em suas atividades por conta da calorosa sensação de serem apreciadas. Sendo assim, se a sincera distinção desaparecer de um programa de reconhecimento, este deixará de ser eficaz.

Melhor prática 3 – Demonstre reconhecimento tanto em público quanto de maneira pessoal.

Os reconhecimentos público e privado podem ser adequados em diferentes situações, mas os melhores resultados são obtidos com o emprego de ambos os métodos. O **reconhecimento público** é altamente eficaz porque oferece aos funcionários uma estrutura para que saibam pelo que esperar. Se, por exemplo, os melhores trabalhadores da organização sempre forem reconhecidos durante a reunião mensal, os outros empregados terão uma ideia clara sobre o modo como deverão trabalhar para alcançar esse objetivo. Para muitos funcionários, o fato de ser parabenizado na frente dos colegas pode realmente ser o aspecto mais gratificante de se receber elogios. Por outro lado, é importante que os gestores tenham em mente que nem todas as pessoas gostam de ser o centro das atenções. Para indivíduos de comportamento dócil ou introvertido, ter todos os olhares de repente voltados para si em uma reunião pública pode se tornar dolorosamente embaraçoso. Portanto, no caso de empregados que não gostam de estar sob os holofotes o reconhecimento público deverá ser atenuado para que não acabe prejudicando seu engajamento.

O **reconhecimento privado** também é um método muito eficaz de mostrar aos funcionários que eles são apreciados. Em geral, esse tipo de demonstração é mais fácil e é oferecida com mais frequência, tão simples quanto um obrigado proferido de maneira "rápida e direta". Independentemente de utilizar um *e-mail*, o correio de voz, uma nota manuscrita ou até fazê-lo pessoalmente, mostrar aos funcionários que eles têm feito um bom trabalho leva apenas alguns instantes, mas causa neles um efeito duradouro.

Melhor prática 4 – Pondere sobre as críticas.

A crítica é um fator importante, pois afeta a percepção de reconhecimento do empregado. Infelizmente, é comum para os funcionários se concentrarem mais nas críticas que recebem que nas demonstrações de reconhecimento. Isso não significa que os gestores devam evitar fornecer *feedback* (realimentação) construtivo a seus empregados somente para não ferir os sentimentos dessas pessoas. Todavia, é preciso ter em mente que a crítica pode afetar negativamente a percepção de um funcionário com respeito aos esforços gerais de reconhecimento.

Uma palavra comum que os gerentes usam ao oferecer *feedback* é "**mas...**". Quando você diz a um empregado: "Você fez um grande trabalho na maior parte deste projeto, **mas...**" isso provavelmente faz o empregado esquecer a primeira parte da sentença. Com frequência, as pessoas se irritam consigo mesmas pelo fato de cometerem erros. Nesse caso, elas tendem a se concentrar nas deficiências destacadas, em vez de em qualquer *feedback* positivo que possa lhe ter sido fornecido. Separar o *feedback* positivo das sugestões de melhoria (mesmo que apenas separando as informações em diferentes frases) é uma maneira mais eficaz de fazer com que a mensagem correta seja compreendida.

Se um gestor vem se utilizando de um número mais elevado de críticas construtivas do que o habitual, talvez seja uma boa ideia aumentar os esforços de reconhecimento para tentar equilibrar o volume de críticas sempre que o empregado se sair bem em suas funções. Como regra geral, a crítica construtiva é mais usada para ajudar o funcionário a melhorar seu **desempenho**, não o **nível de engajamento**.

Melhor prática 5 – Quando em dúvida, pergunte!

Um determinado tipo de reconhecimento ou recompensa não será visto como benefício se a pessoa não o desejar. É imprudente assumir que todos os funcionários desejam as mesmas coisas, portanto, pergunte individualmente aos empregados como eles gostariam de ser reconhecidos. Embora esta seja a abordagem mais direta, muitas vezes os gestores ignoram a simplicidade da comunicação aberta com os empregados. Dizer aos funcionários que você quer reconhecê-los de uma maneira que seja significativa para cada um deles demonstra interesse genuíno e apreço antecipado, e é um grande primeiro passo para fornecer reconhecimento efetivo.

Melhor prática 6 – Igual não significa necessariamente justo.

O reconhecimento dos funcionários **não tem de ser igual**. Para tornar o reconhecimento significativo, ele precisa ser **apropriado** ao esforço ou realização. Em um mundo perfeito, todos os funcionários seriam igualmente dedicados e bem-sucedidos, mas, na realidade, é improvável que isso aconteça. Nas organizações geralmente certos empregados sempre superam os demais. Se os gestores não reconhecerem e não premiarem bem esses **empregados especiais**, eles certamente irão para outro lugar.

Quando comecei a HR Solutions, não criei métricas de bônus; em vez disso determinei a distribuição desse benefício de maneira subjetiva. As pessoas que receberam as melhores bonificações ficaram estupefatas quando souberam o valor em dinheiro que receberiam, e não apresentaram absolutamente nenhuma queixa. Aquelas que receberam os bônus mais baixos se apegaram instantaneamente à ideia de **favoritismo**. Na primeira vez que alguém me acusou disso, eu olhei para o funcionário que tinha baixo desempenho (e que merecia um prêmio inferior) e disse: "Você está certo. Eu realmente tenho meus funcionários favoritos. Eles são empregados apaixonadamente engajados no trabalho que realizam e cujo desempenho resulta em excelência suprema e serviços exemplares oferecidos ao cliente." Isso silenciou as críticas de imediato.

Quando a organização cresceu, tivemos de implementar um método mais **"socialista"** de determinar bonificações. A alteração fez com que alguns dos meus funcionários **"favoritos"** saíssem, provavelmente porque achavam que os outros que não se comparavam a eles em matéria de desempenho estariam, a partir daí, sendo recompensados com bônus que não mereciam. Possuir métricas de bônus claras na empresa foi vital para garantir que os funcionários soubessem o que esperar com base em seu desempenho. No entanto, ainda tenho obtido melhores resultados recompensando generosamente os principais empregados.

Para reduzir a percepção de favoritismo, os empregados com melhor desempenho podem ser recompensados com mais frequência de maneira privada. Reconhecer os funcionários da mesma maneira é um risco que não vale a pena correr.

Melhor prática 7– Não exagere.

Embora os empregados possam florescer com o reconhecimento, existe a possibilidade de as pessoas cometerem exageros em relação a isso. Reconhecimento em demasia pode rapidamente enfraquecer o propósito e aumentar o risco de o gestor parecer falso diante dos funcionários. Além disso, se os funcionários são parabenizados por cada tarefa que completam, eles poderiam ter pouca motivação para trabalhar mais ou fazer um trabalho melhor. Em essência, assim como muitas coisas boas na vida, o melhor é não abusar.

Melhor prática 8 – Determine recompensas apropriadas.

Recompensas e presentes são o ponto alto do reconhecimento. E, embora não seja sempre necessário, dizer aos funcionários que eles têm feito um grande trabalho pode ser ainda um ótimo complemento. Com isso em mente, a recompensa deve ser **apropriada** à ação ou ao resultado. Conceder uma recompensa que seja desproporcionalmente inferior à quantidade de tempo e/ou esforço despendido pelo funcionário pode, na verdade, diminuir o valor do próprio reconhecimento e, possivelmente, servir como um agente desmotivador.

Melhor prática 9 – Instrua os funcionários sobre os esforços de reconhecimento.

É importante que os empregados compreendam a importância que a organização dá ao reconhecimento e aos esforços que os gestores empreendem para assegurar que os funcionários sejam reconhecidos. Por exemplo, digamos que de maneira privada os gestores estejam recompensando funcionários com vales-presente ou descanso remunerado extra por um trabalho benfeito. Nesse caso, todos os funcionários deverão estar cientes dessas iniciativas, embora não precisem saber quem recebeu o quê. Os gestores podem simplesmente indicar que um número X de vales-presentes foi oferecido em um determinado mês, bem como um número Y de "passes de saída antecipada." Quando os empregados perceberem o conjunto de ações tomadas com o intuito de promover reconhecimento e engajamento na equipe, eles se mostrarão bem mais propensos a ostentar um ponto de vista positivo sobre a distinção que recebem.

Uma excelente prática para envolver os funcionários é pedir a eles que forneçam *feedback* sobre novas iniciativas que gostariam de ver implementadas na empresa. Quaisquer alterações feitas como resultado do *feedback* dos empregados devem ser claramente comunicada aos membros da equipe.

Melhor prática 10 – Incentive os funcionários a reconhecer o bom trabalho uns dos outros.

Para criar uma verdadeira cultura de reconhecimento, todos devem estar envolvidos. Embora a liderança sênior deva gerenciar os esforços de reconhecimento da organização, os funcionários também devem ser incentivados a reconhecer o trabalho duro de seus colegas. A melhor prática para envolver os empregados é afixar um quadro branco em uma área de grande movimentação onde cada funcionário possa elogiar publicamente o trabalho realizado pelo outro. A HR Solutions tem obtido uma boa resposta dos funcionários por meio da implantação do nosso **"quadro de mensagens"**, no qual os empregados escrevem regularmente felicitando-se uns aos outros a respeito de seus esforços e suas realizações. Essa ideia também pode ser traduzida para um ambiente virtual por meio da implementação de um sistema de Intranet. Outra possibilidade é a gerência dedicar alguns minutos das reuniões de equipe para que os próprios funcionários parabenizem os colegas que tenham se destacado recentemente.

Reconhecimento como um hábito

Felizmente, a tarefa de começar a ampliar o reconhecimento de maneira imediata é fácil para os gestores. Uma ótima maneira de fazê-lo é estabelecer no calendário lembretes diários para que um funcionário seja reconhecido a cada dia, aumentando este número ao longo do tempo. Outra opção é criar na empresa a cultura do "passar adiante," instruindo os empregados para que cada vez que um deles receber um agradecimento, ele deverá automaticamente agradecer a duas outras pessoas. Este conceito simples aumentará significativamente o reconhecimento dentro da organização, ajudando todos a compreender o verdadeiro poder de um **obrigado**. A partir do momento em que o reconhecimento frequente se torna natural, o engajamento de funcionários aumenta, criando assim uma cultura no ambiente de trabalho direcionada ao sucesso organizacional.[2]

O caminho do desenvolvimento da carreira

O avanço dentro da organização é um importante propulsor de engajamento. É aconselhável ter um modelo tipo "camada de bolo" que possibilite os funcionários crescer e **avançar** por meio de **promoções**. Por exemplo, uma organização pode contar com vários níveis para uma determinada posição, como: gerente-adjunto de projeto, gerente de projeto e gerente sênior de projeto. Quando os funcionários de um determinado patamar atingem domínio pleno das tarefas associadas à sua posição atual, eles se tornam elegíveis a uma promoção para o nível imediatamente seguinte. A mudança de posição e o impacto no salário favorecem o engajamento. Qualquer organização, seja ela grande ou pequena, pode usar esta estratégia para capitalizar sobre o propulsor de engajamento 2: **desenvolvimento de carreira**.

Incentive a liderança

A oportunidade de liderar um grupo de pessoas ou encabeçar um projeto é uma grande experiência para os funcionários. Como melhor prática, as organizações devem dar a todos os empregados a chance de gerenciar alguma iniciativa na empresa. Não importa se isso significa planejar um grande programa corporativo ou simplesmente organizar um almoço para a equipe, estar à frente de um projeto fornece aos funcionários a oportunidade de mostrar suas habilidades de liderança, bem como de adquirir experiência na coordenação de várias pessoas.

Em organizações com estrutura horizontal, especialmente as associações e muitas entidades sem fins lucrativos, a nomeação de líderes para projetos ou equipes é uma ótima maneira de engajar os funcionários por meio de oportunidades de desenvolvimento de carreira. Os gestores devem se certificar de que os empregados que realizarem um bom trabalho à frente de um projeto ou equipe serão devidamente reconhecidos, já que isso une de maneira inextricável os dois principais propulsores de engajamento – **reconhecimento** e **desenvolvimento de carreira**.

Planejamento de ações

- Pense nos projetos que atualmente não têm um líder ou pessoa-chave. Há uma boa chance de que seja benéfico designar alguém para gerenciá-los. Procure distribuir novas responsabilidades, assim, muitos funcionários se beneficiarão.
- Selecione projetos em que os empregados possam se revezar em sua gestão. Permitir que as pessoas sejam voluntárias para liderar essas iniciativas é uma ótima maneira de oferecer uma oportunidade para aquelas que querem mais responsabilidades, sem sobrecarregar as que já estão muito ocupadas. Isso também promove um senso de justiça quanto a oportunidades de liderança.
- Pergunte aos empregados mais eficientes se eles têm projetos que gostariam de transferir para alguém. Quando os funcionários adquirem experiência e têm mais projetos, as tarefas mais elementares podem ser transferidas para empregados cujas competências são menos avançadas. Essa oportunidade concede tempo para que a equipe mais experiente trabalhe em tarefas mais

difíceis, enquanto os membros mais novos podem se orgulhar da gestão de suas próprias iniciativas.

Certificações

Uma ótima maneira de promover oportunidades de desenvolvimento de carreira para os funcionários é oferecer certificações internas para as competências essenciais. Isso também mostra aos clientes que os empregados estão devidamente treinados e totalmente preparados para prestar um ótimo atendimento. As certificações possibilitam que os funcionários trabalhem para atingir metas sem mudar de função.

Muitos setores oferecem certificações. Os cabeleireiros frequentemente recebem certificação específica para mostrar, por exemplo, sua competência na coloração de cabelos. As concessionárias oferecem certificações que mostram que seus funcionários entendem sobre manutenção e reparo de automóveis. Nos EUA, os restaurantes, muitas vezes, certificam seus cozinheiros e ajudantes quanto ao conhecimento sobre o consumo legal do álcool (em alguns Estados por força da lei, em outros por opção).

Planejamento de ações

Existem muitas maneiras de se incorporar a certificação no treinamento e na educação do pessoal.

- Pense sobre como as certificações poderiam se ajustar dentro de sua organização. Será que todos os funcionários se beneficiariam de uma certificação interna? Você poderia oferecer os certificados necessários ao gerenciamento de tarefas mais avançadas ou que ajudassem na solução de questões específicas com clientes? Se você já oferece certificações internas, como poderia tornar esse programa mais avançado?

- Determine quais certificados de renome no setor seriam benéficos para seus empregados. Os empregadores devem criar um plano para ajudar os funcionários a estudar e colocar em prática processos de certificação profissionais como esses.
- Crie incentivos extras para empregados que tenham recebido uma certificação (fora da esfera de desenvolvimento de carreira). Aumentos salariais, bonificações, privilégios especiais ou uma festa para a celebração do evento são ótimas opções.
- Divulgue as certificações conquistadas aos clientes. As informações devem estar no *site* da empresa e em eventuais promoções realizadas pela organização. Além disso, considere o uso de anúncios nas mídias sociais, e, se for o caso, de promoções internas para divulgar os programas de certificação. A biografia dos empregados e os *kits* (conjuntos) de mídia devem incluir essas certificações. Os funcionários que interagem com os clientes em determinados setores também podem usar algo para indicar seu nível de certificação, como um bóton ou uma etiqueta diferenciada em seu crachá.
- Divulgue ativamente o programa de certificação junto aos funcionários atuais e potenciais funcionários e instrua-os sobre seus benefícios. Promover essa informação é a chave para o sucesso do programa. Se ninguém souber sobre as ofertas de certificação ou o quanto elas valem, será mais difícil atrair, engajar ou manter funcionários.

Avanço educacional

Certos setores – como aqueles focados na área de negócios – estão sempre sujeitos a perder seus funcionários do quadro permanente, que optam por voltar a estudar e obter diplomas de pós-graduação como, por exemplo, um mestrado em Administração de Negócios (MBA). Se as posições mais elevadas dentro de uma empresa exigem que o candidato tenha diploma (o que normalmente é o caso), os funcionários do baixo escalão logo irão perceber que é improvável que avancem em sua carreira se não retornarem para a faculdade. Os funcionários que consideram a ideia de cursar o ensino superior são as pessoas que estão intrinsecamente motivadas e têm um forte desejo de avançar pessoal e profissionalmente; por conseguinte, é provável que estes sejam também os funcionários mais engajados da organização – aqueles que você realmente não quer perder.

Essencialmente, os empregados engajados que estão considerando dar continuidade aos estudos têm quatro opções:

1. Deixar a organização e voltar para a faculdade em tempo integral.
2. Deixar a organização para trabalhar em outro lugar que ofereça a possibilidade de desenvolvimento na carreira, sem exigir diploma universitário.
3. Permanecer na organização sem voltar para a faculdade e, como isso, permanecer "preso" na mesma posição até se tornar um funcionário desengajado.
4. Permanecer na organização, voltar para a faculdade em tempo parcial e ganhar não apenas um diploma, mas também uma subsequente promoção.

Perder funcionários brilhantes porque eles escolheram ingressar em programas educacionais em tempo integral (opção 1) pode custar caro para a gestão de talentos. Neste sentido, ajudar os funcionários a cobrir as despesas com educação continuada é uma solução com a qual empregadores e empregados lucram igualmente – uma simples troca de favores. As empresas que educam seus funcionários e os auxiliam em sua empreitada rumo ao crescimento interno reforçam o engajamento por meio do desenvolvimento de carreira.

A opção 4 é a única que serve aos empregadores que desejam construir uma CM. Por esta razão, muitas organizações se encontram em condições desfavoráveis. Pode ser muito vantajoso para as organizações desenvolver um plano que induza os melhores talentos a voltar para a faculdade em tempo parcial. A maneira mais eficaz de fazê-lo é oferecendo reembolso da mensalidade ou assistência à educação. Embora os programas possam variar muito, dependendo da organização, o objetivo é torná-lo benéfico o suficiente para que os empregados realmente o utilizem.

Reembolso da mensalidade/princípios da assistência

Algumas noções básicas de reembolso de mensalidade e assistência à educação incluem:

- Muitos programas estão disponíveis apenas para os funcionários que já estão na empresa acima de um determinado período de tempo, por exemplo, um ano. Essa política indica que os empregados devem demonstrar uma boa afinidade com a empresa antes de receber tão generoso benefício de seu empregador. Outra abordagem é oferecer reembolso de mensalidade desde o início do emprego, como forma de atrair funcionários motivados interessados em voltar à faculdade em tempo parcial.
- Deve existir um contrato que exija que o empregado permaneça na equipe por um determinado número de meses, ou anos, após sua formação, ou ele perderá qualquer assistência financeira de seu empregador. Essa precaução serve como uma apólice de seguro, impedindo que os funcionários conquistem sua educação a custa do empregador e deixem a empresa antes que esta obtenha retorno sobre o investimento. Para se proteger em relação às questões legais, as organizações muitas vezes tratam o reembolso de mensalidade como um "empréstimo", o que as deixa amparadas.
- Para serem passíveis de reembolso, os cursos devem estar "relacionados ao trabalho". Embora essa exigência seja

uma questão polêmica, ela garantirá que uma organização bancária não pague por aulas de cerâmica ou de artesanato. A aprovação de cursos que, por exemplo, qualifiquem o funcionário para um cargo de assistência financeira pode ser responsabilidade de um profissional de RH.

- Alguns programas optam por pagar valores diferentes de acordo com as notas obtidas pelos funcionários em cada matéria. Muitas vezes, o empregado que alcança apenas uma nota C, ou inferior, não consegue se beneficiar do reembolso de um empregador. Embora isso possa ajudar a motivar os empregados a estudar com afinco, também é capaz de elevar o estresse em uma situação em que equilibrar a vida pessoal e profissional já é um desafio.

Estudo de caso – LinkedIn

Muitas pessoas conhecem o LinkedIn como uma rede de contatos profissionais na *Web* e um recurso para a publicação de vagas de emprego e candidatura a essas posições. O que talvez as pessoas não saibam é que esta empresa é também um ótimo lugar para se trabalhar. Lançado em 2003, o LinkedIn atraiu de maneira magnética mais de **cem milhões de usuários**, abrangendo mais de 200 países e territórios em todo o mundo. Esse nível de crescimento pode, em grande parte, ser atribuído a um forte grupo de indivíduos talentosos.

A LinkedIn oferece uma cultura dinâmica e inovadora centrada na educação dos funcionários. "Nós motivamos as pessoas com oportunidades e possibilidades de autoaperfeiçoamento", diz Mike Gamson, vice-presidente sênior de Vendas Globais da LinkedIn.[3] Ele descreve o número de opções disponíveis para os empregados da empresa como sendo muito grande. "Quando alguém se junta à nossa equipe, investimos em suas paixões e sonhos instantaneamente", diz Mike Gamson. "Uma de nossas missões mais importantes é ajudar nossos funcionários a se tornarem mais produtivos e bem-sucedidos em tudo o que fazem", complementa Mike Gamson.

Os líderes seniores da LinkedIn consideram a organização como uma instituição educacional para os empregados, e a prioridade máxima é ajudá-los a alcançar sucesso em tudo o que se esforçam para realizar. A LinkedIn reconhece que um dia os funcionários irão deixar a empresa por conta de desgastes naturais mas, mesmo assim, não deixa de apoiá-los. De maneira única, os líderes se concentram em colaborar com seus funcionários para que estes atinjam todo o seu potencial e estejam preparados para a próxima fase de sua carreira, mesmo que seja em outra organização.

A LinkedIn compreende a força de sua CM por meio da plataforma *on-line*. Como membros do LinkedIn, os usuários são motivados a se conectar com colegas e amigos. Quanto mais pessoas se unem, maior e mais forte a atração magnética entre o grupo. A filosofia de gestão de talentos da LinkedIn funciona da mesma maneira: as pessoas querem trabalhar na empresa porque querem fazer parte dessa cultura. É claro que os líderes seniores entendem que existe um mundo competitivo lá fora e que seus funcionários desejam ganhar dinheiro, mas o que esses líderes efetivamente descobriram é que o acesso à cultura impacta o engajamento entre eles e aumenta sua compensação.

Mike Gamson acha que os propulsores-chave de engajamento da HR Solutions são ideais. Dentro da LinkedIn ele enfatiza a importância do propulsor número 4: **estratégia e missão** – especialmente no que diz respeito à liberdade e autonomia para o indivíduo se tornar bem-sucedido e contribuir para o sucesso da organização. Os empregados da LinkedIn acreditam que, por meio do seu trabalho, são capazes de transformar a si mesmos, a empresa e até mesmo o mundo em que vivem. Considerando o sucesso da LinkedIn em alterar o curso das contratações, das redes de contatos profissionais e da gestão de talentos, os funcionários certamente estão com a razão.

Vinculando *feedback* aos seus resultados

Existem oportunidades de redução de custos que sua organização talvez tenha negligenciado? Caso afirmativo, há grandes possibilidades de que os funcionários já tenham identificado algumas delas. Infelizmente, muitas organizações não pedem *feedback* efetivo aos seus empregados sobre esse importante tema. Como comprovado recentemente por uma organização, incluir os empregados em iniciativas de redução de custos pode não apenas se mostrar uma opção mais rentável para a empresa, mas também impactar o engajamento de funcionários.

Estudo de caso: como o *feedback* dos funcionários é capaz de impactar diretamente seus resultados

Trabalhando com o apoio da HR Solutions, a Northeast Hospital Corporation (NHC) – que representa vários hospitais de tratamento intensivo em Massachusetts – realizou uma pesquisa de engajamento de funcionários na qual incluiu o seguinte item para estudo:

> "Existem oportunidades de redução de custos em meu departamento que não estão sendo aproveitadas por esta organização."

Ao receber o *feedback* de que muitos funcionários consideravam a existência de várias oportunidades inexploradas para corte de gastos na empresa, a NHC lançou o programa "*My CSI* (*My Cost-Savings Idea*)".[a] O programa incentiva os funcionários a apresentar ideias que ajudem a NHC a economizar dinheiro. Para garantir que os empregados se sintam motivados a participar do programa, e também para reconhecê-los pelos seus esforços, as ideias aprovadas valem um prêmio em dinheiro.

---

a - Em tradução livre: "Minha sugestão para a redução de custos." (N.T.)

Desde que o programa começou, há dois anos, os funcionários da NHC geraram ideias de redução de custo que totalizaram mais de US$ 250 mil dólares em economia – um valor substancial para um programa recém-criado. Como resultado dessas ideias, a NHC generosamente recompensou o pessoal que fez as sugestões com prêmios superiores a US$ 7 mil.

"O programa *'My CSI'* tem sido um enorme sucesso", diz Althea C. Lyons, vice-presidente de Recursos Humanos e Desenvolvimento da NHC. **"Ao compartilhar ideias de redução de custos, nossos funcionários estão gerando um impacto profundo e duradouro sobre a empresa, e demonstrando seu compromisso contínuo com a nossa organização"**[4], complementou Althea C. Lyons.

Veja na sequência algumas ideias criativas apresentadas por funcionários da NHC.

Recursos humanos

Um funcionário da NHC sugeriu acabar com o programa de indicação de empregados, em razão da alta taxa de desemprego do país. Ele considerou que este não era mais um método viável de se obter referências de qualidade. Em uma base anual, a economia da empresa foi de US$ 44 mil; o funcionário recebeu US$ 2 mil pela ideia.

Profissionais da saúde não médicos

Dois funcionários da NHC propuseram a ideia de interromper o envio de cartas e faxes para os profissionais da saúde que não fossem médicos, uma vez que as informações já foram enviadas a esse grupo por *e-mail*. Essa sugestão resultou em uma economia anual de US$ 9 mil; cada empregado recebeu US$ 225 pela ideia.

Farmácia e procedimentos respiratórios

Dois funcionários da NHC uniram forças para desenvolver um novo protocolo de avaliação para o uso de inaladores de pó seco pelos pacientes. A capacidade de cada paciente em utilizar adequadamente um inalador de pó seco é agora avaliada por um terapeuta respiratório antes que este se decida pela prescrição ou não do inalador. Essa nova avaliação, baseada em evidências, reduz o desperdício e proporciona melhor atendimento aos pacientes. A economia anual foi de quase US$ 19 mil; cada funcionário recebeu US$ 235 pela ideia.

Serviços cirúrgicos

Um funcionário da NHC teve a ideia de trocar um produto descartável da sala de cirurgia por outro durável que não precisaria ser comprado com tanta frequência. Esta opção resultou em uma economia anual de mais de US$ 63 mil, além de melhorar a satisfação dos médicos; o empregado recebeu US$ 2 mil pela ideia.

Engajamento de funcionários e resultados

As ideias de redução de custo mencionadas anteriormente, assim como outras similares, estão gerando um impacto direto tanto nos resultados da NHC quanto no engajamento de funcionários. Ao capacitar os empregados para sugerir ideias que resultem em bons negócios, a equipe percebe como pode contribuir **diretamente** para o sucesso da organização. Esta é certamente uma das melhores práticas, e a NHC serviu de exemplo para empregadores em todos os segmentos.[5]

Estimulando a satisfação dos funcionários

A cultura corporativa é composta de muitos elementos, mas o fator determinante são as pessoas. Como empregador, você pode até colocar as pessoas certas a bordo do navio, mas o modo como elas irão interagir durante o percurso tem igual importância. Embora não seja possível controlar as interações pessoais entre os funcionários, a empresa é capaz de criar um ambiente que promova interações positivas. Como o relacionamento entre colegas de trabalho representa muitas vezes a **"cola"** que une os trabalhadores à sua organização, cabe aos empregadores ajudar a promover a camaradagem entre seus funcionários.

Oitenta e sete por cento das pessoas consideram seus colegas de trabalho simpáticos e prestativos.[6] Essa é uma das respostas mais positivas entre todos os itens de pesquisa relacionados ao trabalho. Os empregadores podem fomentar a satisfação dos funcionários fornecendo oportunidades para que se conheçam mutuamente e interajam uns com os outros. Apoiar esse tipo de interação social não deve ser considerado um desperdício de tempo, pois favorece diretamente o engajamento. Além disso, quando os funcionários se conhecem, provavelmente são capazes de se comunicar de maneira mais eficaz para completar projetos. Uma melhor comunicação entre os membros da equipe gera maior qualidade e produtividade, o que favorece diretamente seus resultados.

Estudo de caso – O sucesso na gestão de talentos é bom demais!

Vermelho e branco. Frango com macarrão. Andy Warhol. O que tudo isso tem em comum? Se você por acaso pensou na Campbell Soup Company, acertou em cheio. O fato de ser possível mencionar quatro coisas aparentemente sem relação e ainda assim alguém conseguir identificar o tópico aponta para a marca icônica criada pela empresa norte-americana Campbell.

Desde 1869, a Campbell Soup Company vem construindo seu nome no mundo alimentício, e alcança agora clientes em 120 países. Com mais de 18 mil funcionários e uma receita de quase US$ 8 bilhões em vendas de sopas, sucos e petiscos diversos, a empresa se estabeleceu como líder em seu setor.

Mas o que torna a Campbell Soup Company uma organização tão bem-sucedida? De acordo com Denise Morrison, presidente e CEO da empresa, é o fato de a companhia poder contar com todos os seus funcionários para construir e manter um ambiente de trabalho inclusivo, diversificado e socialmente responsável; o grupo está focado em obter bons resultados nos negócios agindo com integridade e elevado engajamento entre os funcionários, o que resulta em alto desempenho. Nomeada para o cargo em 1º de agosto de 2011, Denise Morrison tem trabalhado a partir de uma base sólida construída por seu antecessor, Doug Conant, que criou uma cultura estruturada em torno da **"crença de que os resultados do negócio começam com a cultura e seu povo."**[7] Essencialmente, o sucesso da Campbell no mercado e junto ao público começa com a gestão de talentos no ambiente de trabalho. Como tal, a Campbell transformou o engajamento entre seus funcionários – algo também conhecido na empresa como **"acalentamento"**, em prioridade máxima.

Os líderes seniores da Campbell fazem todo o possível para que a organização se pareça com uma comunidade para seus empregados. Apesar do grande porte da empresa, os funcionários raramente se sentem perdidos no processo. "[Uma] coisa que faz a Campbell única é o fato de sermos uma grande empresa [...] mas realmente nos sentirmos como se estivéssemos em uma pequena empresa", diz Jackie Scanlan, vice-presidente de Gestão de Talentos Globais e Eficácia Organizacional da Campbell Soup Company. Os funcionários são incentivados a se relacionar com indivíduos em todos os níveis. A empresa constantemente enfatiza que todos os empregados devem ser encorajados a interagir uns com os outros e que as opiniões de todos serão ouvidas, independentemente de seu nível hierárquico dentro da companhia. A proximidade e o diálogo entre todos os níveis contribuem para essa sensação de pequena empresa.

Encorajar interações entre os membros da equipe pode levar a interrupções frequentes, mas em sua gestão na Campbell, Doug Conant incentivou os funcionários a enxergar tais interrupções de um modo diferente do que ocorre em outras organizações. Em vez de tentar minimizar as interações, Doug Conant aconselhou os funcionários a observar essas conversas como uma forma de resolver problemas, construir relacionamentos e atingir o sucesso. Ele se referiu a esses momentos como **"pontos de encontro"** que incentivam a escuta e a conversação ativa para realmente tirar o máximo proveito de todos os diálogos. Como resultado desses "pontos de encontro" e das conversações subsequentes, os empregados provavelmente se sentirão ouvidos e a liderança terá uma compreensão melhor sobre o que está acontecendo no ambiente de trabalho. Nesse sentido, um grande senso comunitário se desenvolve naturalmente dentro da organização. Interrupções são raramente inevitáveis, mas, se tratadas de maneira eficaz, podem realmente ajudar as empresas.

A Campbell Soup Company também usa a sua marca de modo criativo para estabelecer uma associação entre a organização e seus empregados, incitando, assim, o engajamento. "A marca é tão reconhecível que se torna fácil relacionar os produtos com a identidade do ambiente de trabalho", diz Jackie Scanlan. Em consonância com essa ideia, as salas de reuniões na sede da Campbell também se relacionam com a marca, ostentando nomes como "Margaret Rudkin" (a fundadora da Pepperidge Farm) e as cores "Vermelho e Branco". Jackie Scanlan salienta: **"Nós tentamos nos divertir com essas características e, ao mesmo tempo, os funcionários se identificam com a ideia."**[8] Incorporar a marca à vida dentro da organização aumenta a conexão com os empregados e os mantém engajados e inspirados.

Como CEO, Denise Morrison garantirá que a Campbell continue a se concentrar em alcançar bons resultados nos negócios por meio da manutenção de um ambiente de trabalho diversificado, inclusivo e engajado. Ao colocar as pessoas em primeiro lugar em sua receita para o sucesso, a Campbell criou uma cultura que realmente é ***"M'mm-m'mm good!"***[b]

As pequenas coisas

Você ficaria espantado com o impacto de iniciativas aparentemente irrelevantes. Ao longo dos anos, aprendi a seguir as sugestões dos funcionários, independentemente do quão modestas elas sejam. No entanto, este não foi sempre o caso. Vários anos atrás, durante nossa pesquisa de engajamento de funcionários recebemos um comentário por escrito sugerindo que deveríamos oferecer rosquinhas em nossas reuniões mensais. Pensei sobre isso brevemente e rejeitei a ideia porque o desejo de comer rosquinhas no trabalho não fazia sentido para mim. As pessoas poderiam perfeitamente tomar o café da manhã em casa ou trazer um lanche, assim como já ocorria em qualquer outro dia.

No ano seguinte, ao realizar a pesquisa recebemos dez comentários por escrito sugerindo que **deveríamos oferecer rosquinhas em nossas reuniões mensais**. Mais uma vez fui contra a ideia, achando que simplesmente não era necessário. Eu me envergonho em dizer que foi somente **após três anos consecutivos** recebendo o mesmo *feedback* sobre o desejo de rosquinhas em reuniões que eu realmente **levei a sugestão a sério e as comprei**.

Quando eu finalmente aprovei o "orçamento das rosquinhas" para os nossos encontros, nossa liderança decidiu que a cada mês um voluntário diferente poderia lidar com a responsabilidade de providenciar o lanche. A reação do pessoal foi semelhante à dos seguidores de Moisés quando ele dividiu o mar Vermelho. Os funcionários se sentiram importantes com a oportunidade de planejar

b - Referência à interjeição utilizada na propaganda da sopa em inglês. (N.T.)

o café da manhã para os seus colegas. Um funcionário chegou até a preparar um bolo para trazê-lo para toda a equipe. Os empregados começaram a aguardar com ansiedade os nossos dias de reuniões, simplesmente porque fornecíamos o café da manhã.

Fiquei sinceramente chocado ao ver que esta pequena mudança teve um impacto tão profundo. Foi uma grande lição: só porque algo não é importante para você não significa que não o seja para outras pessoas. Transformar nossas reuniões em encontros com café da manhã certamente acrescentou um elemento de diversão em nossa cultura e mostrou aos funcionários que nos preocupamos com suas sugestões. O impacto foi bem maior do que eu poderia imaginar.

Ambientes de trabalho simpáticos aos animais de estimação

Há vinte anos, a ideia de levar seu cão para o trabalho não tinha quaisquer precedentes, mas as coisas mudaram. Para muitos entusiastas, um ambiente de trabalho amigável aos animais de estimação pode fazer toda a diferença na forma como uma cultura organizacional se destaca em relação às demais. Empregadores e funcionários podem ambos se beneficiar da adição de um animal de estimação no ambiente de trabalho.

Economia para os funcionários

O negócio de cuidar e passear com os cães está crescendo diariamente em razão dos empregados precisarem trabalhar por longas horas. Como muitos cães não podem passar o dia sem "ir ao banheiro", os funcionários se veem diante de um dilema: pagar alguém para cuidar do animal ou ter de sair do trabalho mais cedo para tratar do assunto por conta própria.

Dos lares norte-americanos, 39% possuem pelo menos um cão.[9] Para os empregados com amigos de quatro patas, trazer o Totó para o trabalho pode economizar uma grande quantidade de dinheiro e, ao mesmo tempo, aumentar o número de horas trabalhadas. Além disso, se por restrições orçamentárias sua organização não consegue recompensar os empregados tão generosamente quanto gostaria, economizar o dinheiro dos funcionários em outras áreas certamente contribui para agregar valor ao cargo na empresa.

Aumento no bem-estar geral

Permitir animais de estimação no ambiente de trabalho encoraja os funcionários a fazer alguma atividade física durante os intervalos, como passeios a pé ou brincadeiras com bolinhas. Passar o tempo com um animal pode contribuir para o bom humor do empregado e, ainda, aumentar sua produtividade após o intervalo.

O estresse no trabalho pode representar uma ameaça significativa para a saúde dos trabalhadores. De acordo com os profissionais da saúde, simplesmente estar perto de um cão ou gato **pode diminuir os níveis de estresse do indivíduo**, e já foi demonstrado que acariciar um animalzinho de estimação reduz a **pressão arterial**. A posse de um amiguinho de patas também tem sido associada à **diminuição do colesterol** e a níveis mais baixos de **triglicérides**, o que minimiza o **risco de derrames e doenças cardíacas**.

Se a presença de cães ou gatos no local de trabalho está fora de questão, os peixes também são bem conhecidos por ajudar as pessoas a relaxar. Observar os peixes nadando em um aquário pode exercer um efeito calmante sobre funcionários e clientes, a ainda contribuir para a atmosfera do escritório.

Camaradagem

De cães a peixinhos dourados, os animais apresentam uma oportunidade de socialização e diversão para os funcionários no ambiente de trabalho. Os animais de estimação também criam um elevado senso comunitário, pois os empregados se comprometem coletivamente a cuidar do bem-estar do mascote do escritório.

Criando uma experiência com o cliente

Muitas pessoas adoram animais. Aposto que você já esteve em uma loja onde um gato preguiçoso relaxava atrás do balcão ou um cão perambulava livremente por entre os clientes apreciando as carícias na orelha que recebia de quase todos. Este é o tipo de elemento que torna uma organização única e motiva os clientes a voltar.

Companheirismo e segurança

Para os empregados que trabalham sozinhos ou com poucos colegas, ter um animal de estimação no trabalho pode ajudar a diminuir a solidão. A companhia que permite a entrada desses "amigos" consegue fazer os funcionários se sentirem mais confortáveis e focados. Além disso, um cão de maior porte é capaz de, inclusive, aumentar a segurança para os empregados que trabalham em áreas isoladas.

Benefícios das políticas para animais de estimação

Ao considerar políticas para animais de estimação, é importante pensar sobre a cultura desejada para a organização, o ambiente e os funcionários. Em alguns ambientes de trabalho essa alternativa pode não ser viável pela própria natureza do segmento, por eventuais alergias de pessoas da equipe ou por restrições impostas pela administradora do imóvel. Cada organização é diferente e deve ter uma política para animais de estimação que atenda às suas necessidades específicas. A criação de uma política que consinta animais dentro do escritório pode apresentar alguns desafios únicos, mas acabará permitindo que empregados e empregadores alcancem uma série de benefícios resultantes do moral positivo dos funcionários.

O que é importante para sua equipe?

Como demonstrado ao longo deste capítulo, muitas ações diferentes, sejam elas mais ou menos complexas, podem ser tomadas para a criação de uma força de trabalho mais comprometida. Focar no engajamento de funcionários para construir uma CM não só ajuda a atrair os melhores talentos, mas também revigora seus empregados atuais. Independentemente de você ser capaz de ajudar os funcionários a avançar na carreira por meio de oportunidades educacionais ou de simplesmente tornar o dia a dia dessas pessoas no trabalho mais gratificante por meio de pequenas iniciativas, é fundamental descobrir o que é importante para eles e aplicar tais informações na estrutura cultural de sua organização.

O PICO DA MONTANHA: O ÁPICE DO ENGAJAMENTO

Como ávido alpinista, não posso deixar de perceber os paralelos entre a **escalada de altitudes** e os **negócios: sucesso significa ascensão constante**. Se parar de seguir em frente, certamente ficará para trás. Tanto no alpinismo quanto na gestão de talentos, preparação e treino são decisivos para se alcançar com sucesso o ponto mais alto, ou **ápice**, do **engajamento**. Sem o treinamento apropriado, multiplicam-se as oportunidades de desengajamento, desânimo e fracasso na conquista de objetivos.

No início da escalada, ou na construção do engajamento, é preciso estabelecer claramente o objetivo: **uma estratégia e uma missão**. Essa meta não é avaliada apenas pela altura do pico, mas, principalmente, pelo duplo objetivo de descer e sair da montanha em segurança. E foi assim que alguns desafortunados alpinistas do monte Everest selaram seu destino em 1996. A princípio, todos concordaram que, se não atingissem o topo dentro de um tempo específico, a única opção segura seria retornar. Terminado o prazo, e por não terem ainda alcançado o pico, alguns dos alpinistas deram meia-volta, porém, outros decidiram continuar. Este último grupo era formado pelos integrantes que não se comprometeram com o plano enquanto equipe e, por essa razão, muitos deles pereceram. Nos negócios, todos os gerentes e funcionários devem concordar em seguir a estratégia e a missão da empresa – o plano global.

É imperativo possuir os recursos e as ferramentas corretas tanto para a prática do alpinismo quanto do engajamento. Escalar uma montanha sem utilizar lentes UV[a] apropriadas é arriscar-se a ficar

a Referência ao filtro que protege o usuário dos raios ultravioleta. (N.T.)

cego, o que, em última análise, impossibilita o indivíduo de alcançar o topo e o leva ao fracasso total. O mesmo vale para os negócios; sem as ferramentas e o conhecimento necessários, a pessoa também ficará completamente cega. Entretanto, o fato de um profissional não enxergar acabará afetando também todo o time. No alpinismo, essa deficiência não arruína apenas sua escalada, mas também a dos integrantes de sua equipe, já que todos precisarão dar meia-volta para guiar você montanha abaixo. Nos negócios, a falta de ferramentas apropriadas prejudica a produtividade e o progresso dos indivíduos. Todas as boas pesquisas de engajamento de funcionários disponíveis mencionam a importância dos recursos adequados para se executar o trabalho, já que este é um aspecto indispensável ao sucesso organizacional.

Tanto no alpinismo quanto na gestão de talentos o trabalho em equipe faz a diferença no que diz respeito a alcançar objetivos. Nunca se deve iniciar uma escalada de altitude com pessoas desengajadas ou que não se importam; elas serão um perigo para você e os demais. Em expedições por áreas glaciais e de grande altitude, onde o risco de queda em fendas é enorme, os alpinistas literalmente amarram-se uns aos outros para se proteger. Se um deles desliza, os demais sentem o tranco da pessoa se movendo na direção oposta e a equipe reage instantaneamente cravando suas picaretas na montanha para servirem de âncora. Por meio do trabalho em equipe todos são capazes de trazer o alpinista aflito (ou em alguma enrascada) de volta. No ambiente de trabalho, empregados e empregadores devem **figurativamente** se amarrar uns aos outros, oferecendo aos colegas ajuda, comunicação adequada e esforço genuíno a fim de aprimorar o engajamento.

Funcionários descomprometidos recusarão participar do esforço em grupo e, por essa razão, serão prejudiciais ao progresso e ao sucesso da empresa. Temos a capacidade de resgatar nossos companheiros alpinistas assim como nossos colegas de trabalho, e é por isso que as organizações líderes não toleram o **desengajamento no ambiente profissional**; ele representa verdadeiramente um perigo para todos.

Figura C.1 - Kevin Sheridan escalando o monte Elbrus na Rússia com altura de 18.150 pés

O desastre do monte Everest jamais teria ocorrido se os líderes das equipes de alpinistas tivessem encorajado o *feedback* de seus membros. Os sobreviventes relataram que os líderes disseram claramente aos integrantes da equipe que não compartilhassem opiniões divergentes uns com os outros durante a escalada final da montanha. Na realidade, os que sobreviveram tinham um ponto de vista diferente quanto ao melhor caminho a seguir – eles queriam descer a montanha. (Assim, muitos continuaram a escalada sem os seus líderes). No alpinismo e nos negócios, obter *feedback* dos outros membros da equipe, **em especial** nas decisões que envolvem alto risco, pode salvar sua vida, seja de modo figurativo ou literal.

Minha avó sempre dizia que a receita para uma vida longa é manter-se em movimento e se divertir. De fato, em vez de dizer adeus às pessoas, ela simplesmente lhes dizia **"divirtam-se"**. Nossa família sempre admirou a sabedoria em sua singular frase de despedida. Ela viveu até a idade de 92 anos, portanto, ela pode com certeza ser considerada uma especialista em viver bem.

Sigo seu conselho todos os dias; levanto, me esforço para ser produtivo e não me esqueço de me divertir. Isso traduz com perfeição a construção de uma CM: para ser verdadeiramente bem-sucedido você tem de trabalhar para isso, mas é fundamental que você e seus funcionários se divirtam ao longo do processo.

Espero sinceramente que você tenha achado esse livro interessante, prático, útil e, mais importante, motivador. Você tem a possibilidade de fazer mudanças significativas, senão profundas, em sua orga`nização, e agora dispõe do conhecimento e das melhores práticas para tanto. Quando o assunto é alcançar o sucesso, criar uma cultura em que funcionários engajados permaneçam e prosperem faz toda a diferença.

Divirta-se!

NOTAS DO AUTOR

Capítulo 1

1. HR Solutions' National Normative Database, https://actionpro.hrsolutionsinc.com (itens normativos; acessados em 25 de maio de 2011).
2. *Ibid.*
3. Jan Brockway, *Driving employee engagement through performance management (Estimulando o engajamento entre os funcionários por meio da gestão de desempenho), Workscape Webcast*, 16 de setembro de 2009, https://workscapeevents.webex.com/ec0605lb/eventcenter/recording/recordAction.do?siteurl=workscapeevents&theAction=poprecord&ecFlag=true&recordID=1577627.
4. Philip Kotler et al., *Princípios de Marketing*, 12ª ed. (São Paulo: Prentice Hall/SP, 2008), p.483 (paginação referente à 2ª edição do original em inglês).
5. Fredrik Abildtrup. *"23 facts about customer loyalty and customer satisfaction" (Vinte e três fatos sobre lealdade dos clientes e satisfação dos consumidores). Return on Behavior Magazine*, http://returnonbehavior.com/?s=23+facts+about+customer+loyalty+and+customer+satisfaction. (Acessado em 6 de maio de 2011).
6. *Ibid.*
7. Jim Collins, *Good to Great (Empresas Feitas Para Vencer).* Rio de Janeiro: Elsevier, 2001.
8. O regulamento sobre lavagem das mãos varia dependendo da organização. Para o propósito deste estudo, a conformidade foi definida como lavar as mãos antes e depois do contato com um paciente. A frequência de lavagem das mãos foi informada pelos próprios profissionais da saúde.

9. Centers for Disease Control and Prevention, *Preventing healthcare-associated infections* (Prevenindo infecções associadas aos cuidados médicos), *CDC at Work*, http://www.cdc.gov/washington/~cdcatWork/pdf/infections.pdf. (acessado em 25 de maio de 2011).

Capítulo 2

1. Amelia Forczak e Kevin Sheridan, *Engagement model* (*Modelo de engajamento*), *Sales & Service Excellence*, 6 de julho de 2010.
2. HR Solutions, Inc., *Who do you think should be primarily responsible for employee engagement?* (*Quem você acha que deveria ser primariamente responsável pelo engajamento dos funcionários?*), *Site* da HR Solutions, www.hrsolutionsinc.com (acessado em setembro de 2009; atualmente indisponível). Um total de 263 pessoas completaram a pesquisa.
3. HR Solutions, Inc. *PEER Pulse demographics*. Entre agosto de 2009 e maio de 2011, aproximadamente 50 mil empregados aderiram ao PEER.
4. HR Solutions' National Normative Database, https://actionpro.hrsolutionsinc.com (itens normativos; acessados em 25 de maio de 2011).
5. Ashley Nuese, *Do you take your employer to be your loyal, committed partner? I do* (*Você considera seu empregador como um parceiro leal e comprometido? Eu considero*), *HR Solutions eNews*, fevereiro de 2011, http:// www.hrsolutionsinc.com/enews_0211/Employer_Commitment_0211.html.

Capítulo 3

1. HR Solutions' National Normative Database, https://actionpro.hrsolutionsinc.com (itens normativos; acessados em 25 de maio de 2011).
2. Entrevista por *e-mail* com Dan Pink, 4 de maio de 2011.

3. *Ibid.*
4. Reproduzido mediante permissão da ASHHRA (American Society for Healthcare Human Resources Administration). Amelia Forczak, *Recognition: the key driver of employee engagement* (*Reconhecimento: o principal impulsionador do engajamento entre funcionários*), *ASHHRA e-News Brief*, 12 de abril de 2011, http://www.naylornetwork.com/ahh-nwl/articles/index-v2.asp?aid=141503&issueID=22503.
5. Raghuram Rajan e Julie Wulf, *The flattening firm: from panel data on the changing nature of corporate hierarchies* (*A empresa horizontalizada: a partir de informações sobre a natureza de mudança nas hierarquias corporativas*), *Review of Economics and Statistics* 88 (4 de novembro de 2006): 759-73.
6. HR Solutions, Inc., *What kind of educational advancement opportunities does your company offer?* (*Que tipo de oportunidades de avanço educacional sua empresa oferece?*), *Site* da HR Solutions, http://www.hrsolutionsinc.com/hrspoll/results.cfm?QuestionID=28 (acessado em maio de 2010). Um total de 64 pessoas completaram a pesquisa *on-line*.
7. HR Solutions' National Normative Database, https://actionpro.hrsolutionsinc.com (itens normativos; acessados em 25 de maio de 2011).
8. *Ibid.*
9. Entrevista com Frits van Paasschen, 25 de julho de 2011.
10. Reproduzido mediante permissão da AHA Solutions. Amelia Forczak, *AtlantiCare encourages employees to 'get engaged'*(A *AtlantiCare encoraja seus funcionários a 'se engajar'*), *AHA Solutions eNewsletter*, julho de 2010, http://www.aha-solutions.org/aha-solutions/content/HR/HR/AtlantiCare_Case_Study.pdf.
11. Entrevista com Susan Young, 13 de abril de 2011.
12. HR Solutions' National Normative Database, https://actionpro.hrsolutionsinc.com (itens normativos; acessados em 25 de maio de 2011).

13. *Ibid.*
14. *Ibid.*
15. Bureau of Labor Statistics, *An overview of U.S. occupational employment and wages in 2009* (*Uma visão geral dos empregos e salários nos Estados Unidos em 2009*), U.S. Department of Labor, Bureau of Labor Statistics, junho de 2010, http://www.bls.gov/oes/highlight_2009.pdf. (acessado em 10 de junho de 2011).
16. Joe Hadzima, *How much does an employee cost* (*Quanto custa um empregado?*), *Boston Business Journal*, 2005, http://web.mit.edu/e-club/hadzima/pdf/how-much-does-an-employee-cost.pdf. (acessado em 24 de fevereiro de 2011).

Capítulo 4

1. Judy Enns, vice-presidenta executiva da HR Solutions/Eastridge Administrative Services.
2. Entrevista com Russ Laraway, 27 de junho de 2011.
3. HR Solutions/Eastridge Administrative Services.
4. Francois Dufour, *Employee Referrals and LinkedIn Recruiter emerge as top sources of hire* (*Indicações de empregados e LinkedIn Recruiter surgem como principais fontes de contratação*), *LinkedIn Talent Advantage*, 2 de junho de 2009, http://talent.linkedin.com/blog/index.php/2009/06/employee-referrals-and-linkedin-recruiter-top-sources-of-hire (acessado em 24 de junho de 2011).
5. HR Solutions/Eastridge Administrative Services.
6. HR Solutions' National Normative Database, https://actionpro.hrsolutionsinc.com (itens normativos; acessados em 25 de maio de 2011). HR Solutions' *Engagement statistics by tenure* (*Estatísticas de engajamento no quadro efetivo*) janeiro de 2008 – maio de 2009.
7. Fredric D. Frank, Richard P. Finnegan e Craig R. Taylor, *The race for talent: retaining and engaging workers in the 21st century*

(A corrida pelo talento: a retenção e o engajamento de funcionários no século XXI) *Human resource planning*, 1º de setembro de 2004, http://www.commerce.uct.ac.za/Managementstudies/
8. Courses/BUS5033W/2008/Anton%20Schlechter/20080908/the%20race%20for%20talent%20retaining%20and%20engaging%20worksers%20in%20the%2021st%20century.pdf (acessado em 14 de junho de 2011).
9. HR Solutions' Research Institute, Exit Survey Data. O item de avaliação é "pensei em me demitir nos últimos seis meses."
10. HR Solutions' National Normative Database, https://actionpro.hrsolutionsinc.com (itens normativos; acessados em 25 de maio de 2011).

Capítulo 5

1. WorldatWork, *Compensation programs and practices* (*Programas e práticas de compensação*), setembro de 2010, http://www.worldatwork.org/waw/adimLink?id=42294 (acessado em 28 de julho de 2011).
2. HR Solutions' Research Institute, Exit Survey Data. O item de avaliação é "pensei em me demitir nos últimos seis meses."
3. HR Solutions' National Normative Database, https://actionpro.hrsolutionsinc.com (itens normativos; acessados em 25 de maio de 2011).
4. Ricardo Hausmann, Laura D. Tyson e Saadia Zahidi, *The global gender gap report 2009*, World Economic Forum, https://members.weforum.org/pdf/gendergap/report2009.pdf (acessado em 28 de julho de 2011).
5. Amelia Forczak, *Is your organization subconsciously perpetuating the gender wage gap? (Estaria sua organização perpetuando de maneira inconsciente a lacuna salarial entre funcionários de sexo diferente?)*, *HR Solutions eNews*, dezembro de 2010, https://actionpro.hrsolutionsinc.com/
6. Joseph Grenny, *The downside of virtual teams* (*Os aspectos*

negativos das equipes virtuais), *Talent Management*, 6 de fevereiro de 2010, http://talentmgt.com/articles/view/the_downside_of_virtual_teams (acessado em 28 de julho de 2011).

7. Amelia Forczak, *Addressing conflict without confrontation* (*Lidando com conflitos sem confrontação*), *HR Solutions eNews*, julho de 2010, http://www.hrsolutionsinc.com/enews_0710/Addressing_Conflict_0710.html.
8. Bureau of Labor Statistics, *Union Members – 2010* (*Membros Sindicalizados – 2010*), U.S. Department of Labor, Bureau of Labor Statistics, 21 de janeiro de 2011, http://www.bls.gov/news.release/union2.nr0.htm (acessado em 29 de julho de 2011).
9. Federation of European Employers, *Trade union across Europe* (*Sindicatos em toda a Europa*), *site* da Federation of European Employers, http://www.fedee.com/tradeunions.html (acessado em 29 de julho de 2011).
10. Kevin Sheridan e Kristina Anderson, *The difference in engagement and satisfaction between unionized and non unionized employees* (*A diferença em termos de engajamento e satisfação entre funcionários sindicalizados e não sindicalizados*), *HR Solutions eNews*, março de 2011, http://www.hrsolutionsinc.com/enews_0311/Unionized_0311.html.

Capítulo 6

1. U.S. Equal Employment Opportunity Commission, *Religion-based charges FY 1997 – FY 2010* (*Acusações com base em discriminação religiosa dos anos fiscais de 1997 e 2010*), http://www.eeoc.gov/eeoc/statistics/enforcement/religion.cfm (acessado em 9 de agosto de 2011).
2. DiversityInc, *About The DiversityInc Top 50 Companies for Diversity* (*Sobre as 50 principais empresas em prol da diversidade da DiversityInc*), 22 de fevereiro de 2011, http://www.diversityinc.com/article/8317/About-The-DiversityInc-Top-

50-Companies-for-Diversity (acessado em 8 de agosto de 2011).
3. Entrevista com Terri Dorsey, 8 de agosto de 2011.
4. HR Solutions' National Normative Database, https://actionpro.hrsolutionsinc.com (itens normativos; acessados em 25 de maio de 2011).
5. Job Accommodation Network, *Workplace accommodations: low cost, high impact* (*Acomodações no local de trabalho: baixo custo, alto impacto*), U.S. Department of Labor's Office of Disability Employment Policy, 1º de setembro de 2010, http://askjan.org/media/LowCostHighImpact.doc (acessado em 9 de agosto de 2011).
6. Entrevista com Teresa Clark, 8 de agosto de 2011.
7. Entrevista com Cynthia Trudell, 2 de junho de 2011.
8. Bureau of Labor Statistics, *Employment and earnings* (*Emprego e ganhos*), U.S. Department of Labor, Bureau of Labor Statistics, janeiro de 2011, http://www.bls.gov/cps/cpsa2010.pdf (acessado em 9 de agosto de 2011).
9. Palestra de Brad Karsh *What's my job?* (*Qual é o meu trabalho?*), apresentada em 20 de janeiro de 2011 no evento Employee Engagement Emporium, patrocinado pela HR Solutions.
10. Entrevista com Brad Karsh, 21 de abril de 2011.
11. Associated press, *College students think they're so special* (*Universitários consideram a si mesmos tão especiais*), msnbc.com, 27 de fevereiro de 2007, http://www.msnbc.msn.com/id/17349066/ns/health-mental_health/t/ college-students-think-theyre-so-special (acessado em 9 de agosto de 2011).

Capítulo 7

1. HR Solutions' National Normative Database, https://actionpro.hrsolutionsinc.com (itens normativos; acessados em 25 de maio de 2011).
2. Amelia Forczak, *Fun linked to engagement* (*A diversão ligada*

ao engajamento), *HR Solutions eNews*, junho de 2010, http://www.hrsolutionsinc.com/enews_0610/Fun_Linked_to_Engagement_0610.html.
3. Amelia Forczak, *Client spotlight – radio flyer*, *HR Solutions eNews*, outubro de 2010, http://www.hrsolutionsinc.com/enews_1010/RadioFlyer_1010.html.
4. Entrevista com Dan Jessup, 5 de julho de 2011.
5. Amelia Forczak, *Do employees have to dress professionally to act professionally?* (*Seus empregados precisam se vestir profissionalmente para agir de maneira profissional?*), *HR Solutions eNews*, novembro de 2010, http://www.hrsolutionsinc.com/enews_1110/DressCode_1110.html.
6. HR Solutions' National Normative Database, https://actionpro.hrsolutionsinc.com (itens normativos; acessados em 25 de maio de 2011).
7. Michael C. Fina, *Taking initiative – how to engage your workforce in 2011* (*Tomando a iniciativa: como engajar sua força de trabalho em 2011*), *HR Solutions eNews*, abril de 2011, http://www.hrsolutionsinc.com/enews_0411/Taking_Initiative_0411.html.
8. Charles "Chic" Thompson, *What a Great Idea!* (*Que Grande Ideia*), (Nova York: Harper Perennial, 1992), p.26.
9. Kristina Anderson, *When it comes to building engagement, take stress out of the workplace* (*Quando o assunto é construir engajamento, retire o estresse do local de trabalho*), *HR Solutions eNews*, fevereiro de 2011, http://www.hrsolutionsinc.com/enews_0211/Job_Stress_0211.html.
10. Joan C. Williams e Heather Boushey, *The three faces of work-family conflict* (*Os três lados dos conflitos entre trabalho e família*), Center for American Progress, 25 de janeiro de 2010, http://www.americanprogress.org/issues/2010/01/three_faces_report.html (acessado em 30 de junho de 2011).
11. Robert Half International e CareerBuilder.com, *Executive summary: a tale of two job markets* (*Sumário executivo: uma história sobre dois mercados profissionais*), *The EDGE report*, setembro de 2008, http://

www.rhi.com/External_Sites/downloads/RHI/PressReleases/EDGE_Report_08-2008.pdf (acessado em 10 de agosto de 2011).
12. Towers Watson, *2010 Global Workforce Study* (*Um estudo sobre a força de trabalho*), 2010.
13. *Ibid*.
14. Entrevista com Suzanne Fallender, 3 de junho de 2011.
15. Entrevista com Kathrin Winkler, 23 de maio de 2011.

Capítulo 8

1. Mike Byam, *Building a WOW! Recognition culture* (*Construíndo uma cultura de reconhecimento*), Terryberry, http://www.yvhra.org/Portals/0/January%20Program%20-%20Building%20a%20WOW%20Recognition%20Culture.pdf (acessado em 16 de setembro de 2011).
2. Reproduzido mediante permissão da ASHHRA (American Society for Healthcare Human Resources Administration). Amelia Forczak, *Recognition: the key driver of employee engagement* (*Reconhecimento: o principal estimulador de engajamento professional*), *ASHHRA e-news brief*, 12 de abril de 2011, http://www.naylornetwork.com/ahh-nwl/articles/index-v2.asp?aid=141503&issueID=22503.
3. Entrevista com Mike Gamson, 9 de junho de 2011.
4. Citação de Althea C. Lyons, enviada por *e-mail* pelo gerente de relações públicas da NHC, 3 de maio de 2011.
5. Michael P. Savitt, *Client focus: Northeast Hospital Corporation (NHC)* (*Foco no cliente: Northeast Hospital Corporation* (NHC)), *HR Solutions eNews*, março de 2011, http://www.hrsolutionsinc.com/enews_0311/Client_Focus_0311.html.
6. HR Solutions' National Normative Database, https://actionpro.hrsolutionsinc.com (itens normativos; acessados em 25 de maio de 2011).
7. Robert Reiss, *Creating TouchPoints at Campbell Soup Company* (*Criando pontos de contato na Campbell Soup Company*), Forbes.

com, 14 de julho de 2011, http://www.forbes.com/sites/robertreiss/2011/07/14/creating-touchpoints-at-campbell-soup-company/.
8. Entrevista com Jackie Scanlan, 12 de junho de 2011.
9. The Humane Society of the United States, *U.S. Pet Ownership Statistics* (*Estatísticas sobre a posse de animais de estimação nos EUA*), The Humane Society of the United States, 30 de dezembro de 2009, http://www.humanesociety.org/issues/pet_overpopulation/facts/pet_ownership_statistics.html (acessado em 11 de agosto de 2011).

www.dvseditora.com.br
São Paulo, 2013